# De La Pantoufle à L'espadrille

**Quelques outils et
connaissances utiles pour
mener une vie plus active**

par **JON DALD**

Traduit de l'anglais par Marc LeBlanc

Édition originale anglaise : 1998

JLD & Associates
Boîte postale 74032, 260, Guelph St.
Georgetown, Ontario, Canada   L7G 5L1


Édition française : 1999


Données de catalogage avant publication (Canada)

Dald, Jon, 1960-
De la pantoufle à l'espadrille: quelques outils et connaissances utiles pour mener une vie plus active.

Traduction de: From couch potato to baked potato.
ISBN 0-9683246-1-4

1. Condition physique.  2. Santé.  3. Personnes d'âge moyen--Santé et hygiène. I. JLD & Associates. II. Title.

RA776.D3414 1999      613'.0434      C99-901492-7

Bien que l'auteur ait mené des recherches poussées auprès des nombreuses sources d'information disponibles afin d'assurer à cet ouvrage toute la justesse et la complétude possibles, nous ne nous tenons pas responsables des erreurs, des imprécisions, des omissions ou des incohérences qui pourraient s'y trouver.  Toute offense potentiellement présente dans ce livre et dirigée envers des personnes ou des organisations est non intentionnelle.  Le lecteur devrait suivre son propre jugement et/ou consulter un professionnel de la santé avant d'apporter des changements majeurs à son style de vie.

Tous les personnages de ce livre sont fictifs.  Toute ressemblance avec des personnes réelles, vivantes ou mortes, est fortuite.

*Peinture de la couverture : «The Country 10km», de Dennis Kalichuk de London, Ontario.  On peut commander des reproductions signées à tirage limité en appelant au (519) 453-8375.*

Imprimé au Canada

# REMERCIEMENTS

Ce livre n'aurait jamais pu voir le jour sans l'aide de plusieurs personnes formidables. Prenant pour acquis que toutes les erreurs contenues dans ce livre ne sont dues qu'à moi seul, je tiens à exprimer ma reconnaissance envers les professionnels de la santé dont les noms apparaissent sur la couverture de l'ouvrage, ainsi qu'à ceux qui m'ont aidé à corriger et produire ce livre. J'aimerais de plus remercier ma femme, Kelly, pour son soutien tout au long de ce projet. Elle porte le fardeau de vivre avec l'incarnation unifiée des quatre personnages que vous rencontrerez bientôt.

Plusieurs individus ont servi de modèles lors de l'écriture de ce livre. Cela comprend tous les gens que je connais qui mènent un style de vie équilibré. J'ai une dette particulièrement grande envers mes amis du club sportif des Georgetown Runners, qui m'encouragent toujours à donner le meilleur de moi-même.

# DÉDICACE

À mon père Gerald

1927 - 1980

# APPRÉCIATION

De nos jours, la majorité des professionels de la santé sont de plus en plus unanimes à dire que de saines habitudes alimentaires complétées par un programme d'activité physique améliorent la santé, préviennent certaines maladies dans le but ultime d'atteindre une qualité de vie meilleure.

On sent très bien au sein de la population cette recherche pour cette qualité de vie très enviée: celle d'améliorer son Capital-Santé.

À travers des personnages attachants écrits dans un style humoristique, l'auteur nous fait réaliser que nous avons le pouvoir de nous prendre en main, de nous discipliner afin d'accéder à cette qualité de vie supérieure.

Le livre est facile à lire, ses anecdotes, la partie théorique nous donnant des informations de base en nutrition et en activités physiques, nous font réaliser la nécessité d'une vie plus active.

Jon Dald nous incite et nous encourage au moyen d'idées et de trucs pratiques à nous améliorer en vue d'acquérir cette Santé Globale que nous souhaitons tous.

*Lise Gervais dt. p.*

Diététiste professionnelle / nutrionniste-conseil

# TABLE DES MATIÈRES

# Préface

Jon Dald a commencé sa vie professionnelle il y a plus de dix ans. Depuis, il a fondé sa petite famille et travaille dans l'industrie pharmaceutique. Durant la première moitié de sa carrière, il se décrivait lui-même comme un pantouflard. Au cours des dernières années, à travers ses lectures, ses discussions avec des experts et beaucoup de travail, il a appris à composer avec son côté pantouflard. Il profite encore des meilleures choses que la vie puisse offrir, mais il le fait selon ses propres limites. Jon prend part régulièrement à des compétitions de piste et pelouse, à des marathons, des courses à relais, ainsi qu'à des courses de 5 000 et 10 000 mètres. Il profite également des joies du ski de fond et alpin, du tennis, du golf, de la randonnée pédestre et de la pêche.

L'approche favorisée par Jon n'est pas celle d'un expert, mais plutôt celle d'une personne ayant accumulé un bon savoir sur le sujet, qui a fait ses propres expériences et qui comprend combien il est difficile de changer. La trame narrative, qui s'ajoute aux considérations de l'auteur, vous fera découvrir des personnages qui risquent fort de vous ressembler ou de vous faire penser à des gens que vous connaissez. À travers leurs expériences, vous pourrez apprendre comment améliorer votre condition physique et profiter d'un style de vie plus équilibré.

Quoique Jon Dald ait mené des recherches intensives pour enrichir le contenu de ce livre, le but de ce dernier n'est pas de remplacer les conseils d'un véritable médecin. Il est toujours hautement conseillé de discuter avec votre médecin de famille de tout changement concernant votre programme d'exercices ou votre alimentation. Le lecteur devrait suivre son propre jugement lorsqu'il considère un changement de son style de vie.

# Introduction

Il y a cinq ans de cela, j'étais assis, tout déprimé, dans le bureau de mon médecin. J'étais dans la jeune trentaine, j'avais le souffle court, je souffrais d'embonpoint, d'une baisse générale d'énergie et de palpitations. Mon travail était intéressant, mais constituait une grande source de stress. Quel genre d'exemple pouvais-je donc donner à mes enfants? Je sentais que j'étais un candidat idéal pour une crise cardiaque précoce. Mais comment j'avais bien pu me retrouver dans un tel pétrin?

Au fond, il y a deux genres de personnes : celles qui mangent pour vivre et celles qui vivent pour manger. Il se trouve que je fais partie de ceux qui vivent pour manger. J'adore la bonne bouffe! Je suis comme ça depuis toujours, et ce sera toujours ainsi. J'avais donc besoin de trouver une manière d'équilibrer mon style de vie de telle sorte que je puisse continuer de jouir des meilleures choses que la vie ait à offrir sans y sacrifier ma santé.

Au cours des cinq dernières années, j'ai concentré mes énergies à rassembler les outils et les connaissances nécessaires à la concrétisation de changements fondamentaux à l'intérieur de mon style de vie. Par le passé, j'avais essayé les régimes et l'exercice. Aucun ne semblait fonctionner avec moi. À la fin, j'ai appris qu'ils ne sont pas efficaces s'ils sont pris individuellement : ma nouvelle façon de m'alimenter et mon programme d'exercices physiques devaient être introduits ensemble tout doucement dans mon régime de vie habituel. Ce changement progressif m'a permis d'adapter mon style de vie jusqu'à un certain niveau où je sens mon propre équilibre entre la saine alimentation, l'exercice et ce que j'appelle le «Douillet de la vie». Si vous avez l'intention de mener un style de vie plus actif et d'améliorer vos habitudes alimentaires, vous aurez besoin des connaissances et des outils nécessaires à l'amorce de ce changement. Toutefois, bien que ces connaissances et ces outils soient importants, le véritable changement ne peut venir que de vous.

# Divin Douillet . . .

Je dois maintenant vous présenter une notion toute nouvelle et personnelle : le «Douillet». Le «Douillet», dans la vie, c'est une chose formidable. Comprenons-nous bien : le Douillet représente un tas de choses jouissives et décadentes. Le côté «douillet» de la vie, c'est une bière et un hot-dog pendant un match de baseball, c'est un cheeseburger au paradis, la mort par le chocolat, les grands vins, les vins moins réputés aussi, un bon verre de Scotch, ou un beigne à la gelée. Être douillet, c'est être pantouflard, regarder un match à la télé plutôt que de promener le chien, se faire bronzer et mille autres choses qui sont tout simplement... jouissives! Un style de vie plus sain ne devrait pas éliminer le côté douillet de votre vie. L'objectif est plutôt de le remettre en perspective et de vous donner les moyens de composer avec lui en respectant vos propres limites.

Mais, au fait, pourquoi aurions-nous besoin d'un autre livre qui va probablement suggérer un mélange de vie puritaine et d'entraînement physique spartiate comme panacée contre la civilisation occidentale? La réponse à cette question réside dans la nature agréable du côté douillet de notre vie. Il nous faut reconnaître ce qui est bon, mais nous ne devons pas négliger pour autant ce qui est mauvais. (Ah! ça, c'est une grande vérité!) Le sexe peut être bon ou mauvais. Les médicaments peuvent être bons ou mauvais. Le rock 'n roll peut être bon ou mauvais. Nous voulons avoir la possibilité d'apprécier toute la panoplie des plaisirs qui font partie d'un style de vie douillet; cependant nous ne voulons pas avoir à payer les conséquences d'une vie fondamentalement douillette.

Le terme «douillet» peut prendre un sens bien différent d'une personne à l'autre. Un homme pesant 115 kg (250 livres) peut percevoir son frère dont le poids atteint 180 kg (400 livres) comme une personne foncièrement plus «douillette» que lui. Au contraire, une femme svelte pesant 55 kg (120 livres) peut avoir l'impression qu'elle mène une existence tout à fait douillette. Cette notion est donc relative et peut signifier ce que l'on veut qu'elle signifie. Vous devez acquérir la connaissance nécessaire pour apprendre à contrôler la proportion des choses douillettes qui vous est propre et à vous fixer des buts que vous serez prêts à atteindre. Il existe un poids idéal pour chacun de nous. Nous n'avons qu'à l'identifier et trouver les moyens de nous maintenir dans ses limites. Ce but s'atteint tout simplement soit par l'alimentation, soit par l'exercice physique. En ce qui me concerne, je crois - et cette idée est confirmée par plusieurs études sérieuses - qu'il est beaucoup plus difficile de changer son alimentation que de modifier son niveau d'activité physique; cependant, l'alimentation peut être modifiée et changera effectivement si l'on dispose des connaissances appropriées et d'un niveau d'activité physique suffisant.

L'une des erreurs à éviter est de mettre trop d'importance sur votre poids. Les gens qui ne sont pas en forme sont obsédés par leur poids. Les gens qui jouissent d'une bonne forme physique y prêtent rarement attention. L'accent est mis dans le présent livre à vous aider à trouver le juste milieu où vous serez en forme et saurez que vous l'êtes; de cette manière, vous ne penserez plus à votre poids. Cela peut vous sembler insensé; eh bien, continuons notre cheminement et voyons un peu si nous pouvons vous faire changer d'avis.

# Les Raisons Historiques
# de vos Problémes

En tant que société, les Nord-Américains ont de piètres habitudes alimentaires et un style de vie sédentaire. Il y a de grandes possibilités pour que vos grands-parents et sûrement vos arrière-grands-parents aient mené un style de vie beaucoup plus actif que le vôtre et que leur alimentation ait été bien différente elle aussi. La vie nous est rendue beaucoup plus facile aujourd'hui avec la télé, les repas surgelés, les magnétoscopes, le maïs soufflé allant au micro-onde, les films vidéo, les hot-dogs, les voitures et le transport en commun. La plupart d'entre nous travaillent dans des domaines d'emploi qui sollicitent beaucoup plus nos méninges que notre force physique. Bref, nous mangeons plus et faisons moins d'exercice que nous le devrions.

Nos grands-parents vivaient près de leur lieu de travail; la plupart du temps, ils pouvaient s'y rendre en marchant. Les emplois de l'époque comportaient presque tous une plus grande part d'activités physiques que nos emplois d'aujourd'hui. Beaucoup d'entre nous vivent en banlieue, perdent du temps à faire la navette entre le boulot et la maison, mangent souvent à l'extérieur et sont presque constamment stressés. Ajoutez à cette plate réalité le fait que certains doivent aussi concilier leur temps avec leur jeune famille et vous comprendrez pourquoi il est si difficile de passer des remarques au sujet des petites incartades «douillettes» qui meublent votre existence.Nous sommes toujours portés à répondre: «Laissez-moi tranquille! Je ne fais de mal à personne. Foutez-moi la paix!»

En majorité, nos parents et nos grands-parents ont grandi au cours de la Grande Dépression des années 30 et de la Seconde Guerre mondiale. Cela a eu un effet marquant sur eux. Pénuries de nourritures, rationnements et autres privations furent le lot des gens qui ont vécu durant ces périodes. Plusieurs aliments qui sont facilement accessibles aujourd'hui n'étaient tout simplement pas disponibles à l'époque.

Pour beaucoup de ces gens, les temps heureux des décennies d'après-guerre ont marqué la fin des sacrifices. Je connais des personnes dans ces tranches d'âge qui considèrent le beurre comme un produit de luxe, puisqu'il leur était interdit pendant leur enfance. Ils ont voulu ce qu'il y a de mieux pour leurs enfants et leur ont inculqué les vertus du beurre. Cependant, cet aliment n'est pas nécessairement aussi bon que ça pour tout le monde. Ce n'est pratiquement que de la graisse à l'état pur. Utilisé parcimonieusement, ce peut être une façon d'ajouter un peu de gras et de goût à la nourriture; en abuser peut être la cause de plusieurs kilos superflus.

La même conception se trouve derrière la génération des mangeurs de pommes de terre et de viande. Durant l'enfance de millions d'entre nous, le rosbif du dimanche, les tourtières, le ragoût de pattes, les desserts généreux, les tartes au sucre et autres pâtisseries servies tous les jours de semaine étaient la norme. Je suis le premier à admettre que la cuisine traditionnelle, c'est incroyablement bon. Ça peut nous tuer, aussi... Nous avons été éduqués à toujours «finir notre assiette» avant de quitter la table. Ce précepte a vu le jour dans une génération élevée par des gens qui avaient connu les privations, les années de vache maigre, les récessions, les rationnements et même, dans certains cas, la famine. Quel rapport peut-on établir entre leur réalité quotidienne d'alors et le style de vie dont nous jouissons aujourd'hui? Pratiquement aucun. De nos jours, la plupart des gens peuvent acheter la nourriture qu'il leur faut pour une semaine avec de l'argent gagné en quelques heures. Cet état de choses demande que nous adaptions notre alimentation à notre propre réalité, non à celle de nos parents.

Nos parents ont subi l'influence d'événements réels qui ont marqué leur vie et les ont forcés à s'adapter en conséquence. Nous vivons maintenant nous aussi des événements réels qui nous montrent que de piètres habitudes alimentaires réduisent notre espérance de vie et contribuent à l'émergence de maladies dégénératives qui nous privent de la qualité de vie dont nous pourrions jouir pendant de longues années. Si nous voulons nous adapter, nous devons le faire maintenant. Le fait d'apporter des changements aujourd'hui permet d'en retirer les bénéfices plus tard dans la vie.

Ce ne sera pas plus facile de changer dans un mois ou dans dix ans, alors commençons dès maintenant, d'accord? Il n'est jamais trop tard pour changer et bénéficier des avantages d'un style de vie plus sain. Vous avez en main la clef des connaissances dont vous aurez besoin. Mettez-les à profit!

Si vous avez acheté ce livre, c'est qu'il y a de grandes possibilités pour que vous ayez eu dans le passé un style de vie actif. Au secondaire, vous faisiez peut-être partie d'une des équipes sportives de votre école. Vous ne vous voyez sans doute pas comme un athlète, mais vous avez, à un moment de votre vie, pratiqué une activité physique quelconque. Durant la vingtaine, il vous était facile de vous joindre à une ligue et de pratiquer votre sport préféré. Vous étiez jeunes, célibataires, vous commenciez votre carrière : vous aviez même du temps pour faire des exercices aérobiques plusieurs fois par semaine, en plus de quelques séances de poids et haltères. Avec tout ça, vous paraissiez bien et teniez une forme éclatante, n'est-ce pas?

Bien. Voici le premier d'une foule de petits secrets que j'aimerais partager avec vous. Écoutez attentivement : TOUS LES GENS DANS LA VINGTAINE PARAISSENT BIEN! Plus vous vieillirez, mieux vous comprendrez cette implacable vérité. Cela n'avait pas d'importance que vous fassiez ou non du sport dans la vingtaine : vous auriez de toute façon eu l'air en forme. La réalité, c'est que vous n'avez plus vingt ans et que vous ne rajeunissez pas avec le temps qui passe. Les gens dans la vingtaine n'achètent pas ce genre de livre; ils sont trop occupés à se bâtir un style de vie qui va les obliger à acheter ce livre dans dix ans. (Je vous en prie, ne leur parlez pas maintenant de mon livre : ils comptent pour une grande part de mes futurs revenus de retraite!)

Les anciens sportifs sont susceptibles d'éprouver plus de difficultés que d'autres à faire face à la diminution de leur capacité physique à mesure qu'ils vieillissent. Durant leur enfance, leur adolescence et le début de l'âge adulte, ils n'ont jamais éprouvé quelque problème que ce soit avec leur condition physique. Ça leur était tout naturel. Ils ont peut-être même acquis une forte estime d'eux-mêmes et bâti leur image à travers leur rôle de sportif. Lorsque leurs choix de vie commencent à leur causer des préoccupations, il peut être très difficile pour eux d'admettre qu'ils ne possèdent pas toutes les réponses à leur problème. Souvent, il est plus facile de prendre pour acquis son statut d'ex-sportif, de devenir un «sportif de salon», de mener l'existence typique d'un pantouflard, plutôt que de regarder en face le problème et de faire quelque chose de concret pour remédier à la détérioration de sa condition physique. À tous ceux-là, je dis : «Sortez de votre léthargie! Regardez au fond de vous-mêmes et essayez de trouver un peu de cette volonté que vous aviez d'être un athlète et réagissez.» Le fait que vous soyez en train de lire ce livre est déjà mieux que de regarder le Superbowl à la télé. Félicitation, vous êtes sur la bonne voie!

# Quelques Réalités Physiologiques

À l'aube de la trentaine, notre corps commence à subir des transformations. Juste au moment où vous obtenez un emploi correct et où vous pouvez compter sur de bonnes ressources financières, votre corps commence à tomber en pièces. Déprimant, n'est-ce pas? Les hommes peuvent déjà perdre quelques cheveux; ils ont aussi, tout comme les femmes, plus de difficultés à maintenir leur poids; mais rien de catastrophique. C'est un processus lent et insidieux. Des études montrent que les hommes sont susceptibles de prendre environ un demi-kilo (une livre) par année après trente ans. Cette graisse superflue a tendance à s'accumuler autour du ventre pour former ce que l'on appelle communément les «poignées d'amour» ou la «bedaine de bière». Les femmes peuvent éprouver beaucoup de difficultés à se débarrasser des kilos pris lors de la grossesse; il se peut qu'elles prennent de leur côté un quart de kilo (une demi-livre) ou plus par année.

Faites le calcul. Aimeriez-vous vraiment atteindre un tel poids à vos soixante-cinq ans? Vous seriez supposés alors de pouvoir profiter de votre retraite. Mais comment pourriez-vous le faire, avec tout ce poids en surplus à traîner avec vous partout où vous allez? Pensez un peu à ces publicités qui parlent de la retraite et vous promettent une vie active de retraité heureux. Combien votre bonheur sera-t-il grand, à la retraite, avec une quinzaine de kilos en trop, affligés d'un diabète causé par cet excès de poids, souffrant de difficultés à maintenir une érection et/ou d'une perte grave d'appétit sexuel, de maux de dos chroniques, d'enflures aux jambes, d'essoufflements, d'angine, d'une baisse générale d'énergie...? Vous devriez peut-être jeter tout de suite un œil intéressé sur la liste d'attente pour les chirurgies auprès d'un hôpital près de chez vous, question de réserver votre place! Le choix vous appartient.

La croyance populaire veut que la graisse se dépose autour du ventre chez les hommes, sur les cuisses et les hanches chez les femmes. En réalité, bien que ces parties du corps soient celles où l'on peut remarquer le plus facilement l'accumulation de graisse, celle-ci se disperse un peu partout dans le corps, un peu comme sur un morceau de bœuf. Il est impossible de la déloger seulement d'une partie spécifique du corps. Si l'on veut perdre de la graisse, il faut en perdre partout à la fois. Les pèse-personnes, utilisés seuls, ne donnent qu'une piètre mesure de la condition physique d'un individu. À tout moment, nous pouvons traîner avec nous de trois à cinq kilos de déchets que notre organisme peut éliminer par l'urine, la sueur et les selles. Certains régimes éclair qui ne se préoccupent que de la perte rapide de poids peuvent simplement vous déshydrater et emmener une perte de votre masse musculaire; du coup, votre pèse-personne vous donne des résultats encourageants, alors que rien n'a été fait pour régler votre principal problème : vous souffrez toujours d'un excédant de poids et vous n'êtes pas en forme.

En améliorant votre forme physique, il se peut même que votre poids augmente. La raison en est que les muscles sont plus lourds que la graisse. Vous aurez meilleure mine avec plus de muscles que de graisse, et je ne parle pas ici de muscles comme s'en font les haltérophiles. Je parle de muscles bien définis et prêt à l'effort qui vous permettront de maintenir votre style de vie actif.

# Et Maintenant, Nos Amis . . .

«Je peux être utile à quelque chose?», dit Robert. «Ils vont arriver d'une minute à l'autre.»

«Eh bien, je crois que Sara doit prendre son sirop; elle devrait dormir après ça. Oh, et tu pourrais ouvrir la bouteille de vin pour qu'il respire un peu.»

Julie est occupée à préparer une salade pour le souper qu'elle et Robert organisent en l'honneur de leurs vieux amis, Vincent et France. Sa salade césar a toujours connu un franc succès au sein de leur petit groupe.

Robert, Julie, Vincent et France étaient de grands amis au secondaire et à l'université. Maintenant qu'ils sont mariés, ils se fréquentent très régulièrement.

Robert a trente-quatre ans; il mesure 1,78 m (6' 2"), pèse 110 kg (240 livres) et arbore un profil naturellement athlétique, recouvert seulement d'une légère couche de graisse qui va très bien avec son large gabarit. Durant le secondaire, Robert jouait au football, mais on l'a retranché de l'équipe à l'université. C'était pour lui plus un bien qu'un mal, puisque, ses études de droit lui demandant plusieurs heures de travail par semaine, ç'aurait été un fardeau que de continuer l'entraînement. De toute façon, Robert avait beaucoup d'occasions de faire partie d'équipes amicales de football pendant l'automne, ou de baseball durant l'été, en plus des matchs de squash qu'il faisait toutes les semaines avec Vincent. Il vient tout juste d'être promu au rang d'associé de sa firme d'avocats, il n'a pas de problème d'argent, quoiqu'il doive travailler de longues heures dans un milieu de travail plutôt stressant.

Julie a trente-deux ans, mesure 1,58 m (5' 6 ") et a pris près de 10 kg (20 livres) depuis la naissance de Sara : elle pèse maintenant 75 kg (165 livres). Cet excès de poids la dérange un peu, mais, pour parler franc, elle a eu Sara et a dû s'en occuper à temps plein depuis neuf mois; elle vit sa période de maternité à plein et n'a pas l'intention de se préoccuper de ses kilos en trop, d'autant plus que ses nuits sont courtes depuis plus d'un an. En ce qui la concerne, suivre un programme d'exercices physiques est bien le cadet de ses soucis. Ses priorités pour le moment sont la famille et l'entretien de son ménage. Elle a une formation d'enseignante au primaire, mais elle n'est pas pressée de retourner sur le marché du travail, du moins tant que le salaire de Robert leur suffira.

Julie vient de border Sara et se sent heureuse de pouvoir enfin profiter d'une première soirée depuis huit mois où elle n'aura pas à surveiller ce qu'elle boit. «On va bien s'amuser!» pense-t-elle en souriant.

Vincent et France sont en route, parcourant en voiture la courte distance qui sépare leur demeure de celle de Robert et Julie.

«Ça va être une soirée super!», lance Vincent. «Robert m'a dit qu'il avait reçu d'un de ses clients restaurateurs quelques bons steaks bien gras et vieillis à point. Et puis, ils ont toujours d'excellents vins, et l'incroyable salade césar de Julie. Tu ferais bien d'en prendre toi aussi, chérie : j'ai des projets pour cette nuit et je ne voudrais pas être le seul à sentir l'ail!» Vincent lance un regard complice à sa femme qui roule des yeux et lui sourit.

«J'aime la salade césar autant que toi, chéri», lui roucoule-t-elle.

Vincent sourit comme un homme satisfait de son existence. À trente-trois ans, sa carrière de vendeur auprès d'une firme d'ordinateurs va bon train. Leurs deux enfants, Anne, deux ans, et Sandra, quatre ans, sont sa raison d'être et il fait tout ce qu'il peut pour elles. France et lui ont déjà parlé d'avoir un troisième enfant, mais ça s'est terminé simplement par une série de «coups d'essai» qui lui mettent le sourire aux lèvres et de l'éclat dans les yeux. Oui, à vrai dire, la vie est belle!

France est conseillère en éducation physique et vient tout juste d'avoir ses trente-cinq ans. Elle est très mince et pèse à peine 55 kg (120 livres). Elle a le genre de tête qui rend les femmes folles de jalousie et fait se retourner les hommes sur la rue. Elle participe à des activités physiques exigentes, court le 10 000m, fait parfois partie de compétitions de triathlon et s'entraîne régulièrement au gym, seule ou avec ses clients. Vu ses études en éducation physique, elle possède une bonne connaissance des divers aspects d'une vie saine et équilibrée. Elle ne se considère pas comme une experte en la matière, mais elle connaît beaucoup d'astuces et a déjà aidé bien des gens. Son expertise s'est développée tout au cours de sa pratique au gym où elle travaille, le Fit Factory, où l'on met l'accent sur la perte de poids et l'aérobie. Ce qu'elle apprécie le plus de son travail, c'est la flexibilité de son horaire, qui lui permet de s'occuper de ses filles la plupart du temps. Quand elles iront toutes deux à l'école, France espère pouvoir soit agrandir sa clientèle auprès du gym ou encore se joindre à une compagnie qui lui permettrait de toucher un public plus nombreux.

Sur certains points, on peut dire que Vincent et France s'opposent diamétralement. En effet, Vincent aime bien sa corpulence et ses 88 kg (195 livres) semblent s'accrocher à sa charpente d'un mètre soixante-trois (5' 8") comme du pouding au chocolat sur les parois d'un bol. Son double menton est plus épais que l'annuaire de Hong Kong! Cependant, Vincent a la chance d'être pourvu d'aptitudes athlétiques naturelles et d'une volonté combative et obstinée qui lui permettent en quelque sorte de faire fi de son excès de poids et d'être tout de même un rude adversaire sur un court de squash. Franchement, quand il est en possession du service, c'est très difficile de le lui enlever. De plus, en digne vendeur, il a beaucoup d'entregent et se fait aimer instantanément par presque tous les gens qu'il rencontre. Affectueusement, France le surnomme parfois son «gros ours douillet».

# Le Souper

Vincent et France, accueillis par un joyeux mélange d'embrassades et de poignées de main chaleureuses, se font diriger vers le salon. Robert offre à boire à tout le monde. Vincent déguste un scotch Macallan vieux de dix-huit ans. Il ne tarit pas d'éloge au sujet du merveilleux arôme de sherry qui s'en dégage et vante le caractère rond et ample de ce digne ambassadeur de l'Écosse. France prend comme d'habitude un verre de vin pendant que Robert et Julie savourent leurs margaritas à la lime bien frappés. Ça devient de plus en plus difficile de se retrouver comme ça, entre adultes. Ils étaient tous tellement proches avant. Ça va vraiment être une soirée mémorable.

Après le bavardage d'usage et les conversations au sujet des enfants, Robert se rend à la cuisine où l'attend la pièce maîtresse de la soirée : les morceaux de viande rouge, si tendres qu'on pourrait les couper à la fourchette. Des steaks bien gras qui fondent dans la bouche. Selon Robert, la seule façon de rendre un végétarien supportable, c'est de le servir avec des frites et de la sauce. Il n'écoute jamais leur charabia au sujet de la consommation de viande. Pour lui, la viande représente plus qu'une simple partie de son alimentation : c'est une preuve de sa réussite sociale et de son statut de bon pourvoyeur pour sa famille.

«Vincent, prends-toi une bière, on doit faire griller ces steaks-là. C'est une affaire d'hommes, ça» lance sentencieusement Robert.

«Chéri, tu te comportes un peu trop en avocat macho à mon goût... Modère tes paroles» lui rétorque Julie, menaçante.

Elle sait depuis le temps comment dégonfler l'orgueil un

peu trop macho de son mari : elle sait bien au fond qu'il ne se prend pas au sérieux, mais que ça fait tout de même partie de lui. «Pour le meilleur et pour le pire...» Elle sourit.

Les deux hommes, qui s'amusent comme des enfants, se prennent chacun une bière et se dirigent vers le barbecue. Julie et France lèvent les yeux et s'exclament ensemble : «Mon Dieu!»

«Regarde-moi un peu ces steaks» dit Robert alors qu'il sort de l'emballage ce qui ressemble à une paire de steaks de brontosaure. On peut voir les sillons de graisse qui constellent la surface de la viande : c'est la marque de steaks succulents qui mettent l'eau à la bouche pour le souper.

Le double menton de Vincent frémit de joie à la vue de la viande. «Parfait!!», glousse-t-il, en retenant un rot de bière. Puis les deux hommes passent les vingt-cinq minutes qui suivent à braiser gentiment la viande sur le gril (et se prennent une autre bière, question d'éteindre le feu si les steaks flambent...), pendant que Julie et France mettent la dernière main aux détails plus «banals» dans la cuisine.

Lorsque vient le temps de passer à table, une atmosphère de gaieté est déjà bien installée au sein du groupe, fin mélange de détente après une longue semaine de travail, d'alcool et de bons amis - voilà exactement pourquoi ce souper a été organisé. La salade césar de Julie remporte un franc succès auprès de tous. Alors que les hommes emplissent leur assiette avec d'énormes steaks accompagnés de rondelles d'oignons, de pommes de terre au four recouvertes de crème sure, d'échalotes, de flocons de bacon, ainsi que de brocolis noyés dans la sauce au fromage, personne ne prête attention au fait que France a limité sa portion de steak à la grosseur d'un jeu de cartes et qu'elle en a enlevé tout le gras apparent. Elle s'est pris deux petites rondelles d'oignon, une pomme de terre au four et elle a rapporté de la cuisine du yogourt nature pour l'accompagner. Elle s'en est donné à cœur joie dans les échalotes et le brocoli, mais n'y a ajouté ni bacon, ni sauce au fromage. Sa portion de salade césar est elle aussi bien plus petite que celle des autres. Le vin, deux bouteilles de grands crus de Bourgogne dix ans d'âge, est tout simplement divin. France en boit un verre et demi dans le temps qu'il faut aux autres pour en boire trois.

«Vous savez», dit pompeusement Robert, «Il paraît qu'en France, ils considèrent que c'est un crime de boire un grand cru avant qu'il n'ait au moins dix ans.» Personne ne le voit pendant qu'il se verse le reste de la dernière bouteille pour souligner sa propre appréciation du bon vin.

À l'instant où Julie s'apprête à aller chercher le dessert - un gâteau au fromage -, le cellulaire de Vincent sonne. C'est sa mère qui l'appelle pour l'avertir que son père vient d'avoir une crise cardiaque et qu'il se trouve en ce moment à l'unité des soins coronariens de l'Hôpital des Sœurs de la Charité. La soirée se termine aussitôt dans un concert de vœux de prompt rétablissement et de salutations précipitées. France prend les clefs; elle et Vincent partent aussitôt.

Robert et Julie sont sous le choc.

«Incroyable!» dit Robert. «Le père de Vincent a à peine cinquante-huit ans. Comment peut-il avoir eu une attaque cardiaque?»

«C'est terrible!» ajoute Julie. «On devrait envoyer des fleurs à l'hôpital. Je vais appeler France demain matin pour savoir comment ça s'est passé.»

# Un Premier Bilan

Bien. Vous en êtes venus à la conclusion qu'il serait mieux pour vous de vous débarrasser d'une certaine partie de vos habitudes «douillettes». Il se peut que vous ayez suivi ou même que vous suiviez en ce moment un programme d'entraînement qui ne semble pas vous donner de résultats. Concentrons-nous d'abord sur ce qui concerne votre côté douillet et qui vous incite à apporter des changements à votre style de vie. Votre sentiment à ce sujet peut être d'ordre mental, physique, émotionnel, ou encore naître d'un mélange de tout cela. Si vous sentez que vous avez un léger embonpoint, que votre emploi vous stresse, et que vous n'avez pas autant d'énergie que vous le voudriez, vous avez besoin de changer votre style de vie. Si vous n'y changez rien, il y a de forts risques pour que vous soyez sur la pente descendante qui vous mènera vers une foule de problème de santé associés à l'obésité, tels (et ce n'est qu'un simple aperçu...) les maladies du cœur, la haute pression, le diabète, les maux de dos chroniques et une baisse générale d'énergie. Bonne descente!

Voici notre première section d'exercices théoriques. Répondez aux questions suivantes :

1) Oui ou non : êtes-vous satisfaits de votre apparence?

Si vous avez répondu «non», vous pouvez vous joindre aux 5 999 999 900 d'autres personnes sur la planète qui ne sont ni des top models ni de purs produits de la manipulation génétique. Donc, oubliez ça et faites-en votre deuil! Notre but n'est pas de changer votre apparence. Après avoir suivi ce programme, vous aurez encore essentiellement la même apparence que maintenant. La différence touchera votre niveau de contrôle et votre acceptation des limites qui vous sont propres, qu'elles soient grandes ou petites.

2) Croyez-vous que vous serez mieux armés mentalement, physiquement et émotionnellement si vous améliorez votre endurance physique?

En fait, vous ne pouvez pas vraiment répondre à cette question avant d'avoir atteint votre but et de pouvoir tirer une conclusion sur le passé. Si les seuls inconvénients à être un pantouflard se limitaient à quelques problèmes de santé et peut-être une diminution de votre espérance de vie de quelques années, j'aurais envie de vous dire : «Fiez-vous à l'assurance-maladie, ne vous en faites pas avec votre longévité et amusez-vous!» Cependant, c'est de qualité de vie qu'il s'agit ici.

Les Romains utilisaient souvent l'expression «Mens sana in corporae sano», un esprit sain dans un corps sain. Il semble effectivement y avoir un lien entre le bien-être physique, émotionnel et mental. Nous sommes des êtres humains, et en tant que tel, chacune de ces parties de notre être est susceptible de subir les assauts de la maladie, des accidents ou de la malchance. Bien que ce ne soit pas un préalable que d'être en grande forme physique pour avoir une bonne santé mentale et émotionnelle, cela peut aider à rendre encore plus forts des individus sains et à se sentir mieux dans leur peau s'ils sont en contrôle de leur corps.

Lorsque vous jouissez d'une bonne forme physique, vous arrivez plus facilement à gérer votre stress, et le stress est justement l'une des raisons principales qui font que les gens fument, ne mangent pas sainement et ne font pas d'exercice. En conséquence à tout cela, ils finissent par souffrir de haute pression et d'autres maladies associées au stress qui ont pour effet de raccourcir leur espérance de vie. Je crois qu'à elle seule la volonté de réduire son niveau de stress devrait être un excellent motif pour améliorer sa condition physique.

Il est probable que la raison principale de la grande capacité qu'ont les athlètes à supporter le stress vienne des endorphines (substances chimiques sécrétées par votre corps), dont la production est déclenchée par l'activité physique. Les endorphines ressemblent essentiellement à des alcaloïdes d'opium relâchés dans l'organisme et qui produisent un état de bien-être durant l'activité physique. Cet état se renforce de lui-même. Une fois que vous y avez goûté, vous ressentez un profond désir de renouveler l'expérience. Ainsi on peut dire que l'exercice est une drogue, dans le bon sens du terme. Cela peut sembler bizarre pour des gens qui n'en ont jamais fait l'expérience, mais il s'agit tout simplement d'une réponse naturelle de votre corps face à une activité physique soutenue. Notre corps produit une foule de substances chimiques différentes qui contribuent à notre bien-être. Les hormones jouent un rôle à la base d'aspects de notre vie aussi divers que la sexualité, l'alimentation, la spiritualité, l'affection que nous portons à nos enfants et bien d'autres encore. Le bien-être que l'on retire de l'exercice physique vaut tous les efforts que l'on y met.

3) Voici quelques-unes des raisons qui ont pu concourir à vous faire perdre la forme au cours des années. Cochez celles qui correspondent à votre cas :

I) L'âge (plus de 30 ans);
II) Le stress dû au travail, à la famille...;
III) Le fait d'avoir des enfants;
IV) La navette entre le domicile et le travail (plusieurs heures par semaines);
V) Une mauvaise blessure qui a mis fin à votre entraînement;
VI) Votre vie sociale est trop accaparente;
VII) Votre vie sociale est trop ennuyante;
VIII) L'alcool.

En réalité, il y a des milliers de bonnes raisons pour ne rien changer à votre style de vie dès maintenant; il n'y en a qu'une bonne pour agir : vous. Vous et personne d'autre. Vous en valez la peine. Vous serez les premiers à profiter du changement. Les autres peuvent bien eux aussi bénéficier de votre nouveau style de vie, mais vous devez impérativement le faire avant tout pour vous-mêmes, sinon votre objectif est mal choisi. Une piètre estime de vous-mêmes ne vous permettra pas de passer à travers les efforts et les sacrifices pour marcher sur la voie qui mène à un style de vie plus sain.

C'est le cœur de notre démarche. C'est vous qui êtes importants. Simple, n'est-ce pas? On peut difficilement affirmer le contraire, non? Bien, continuons. Combien de vos heures vous appartiennent vraiment? Quel pourcentage de vos journées reste-t-il pour vous uniquement?

Dans une journée ordinaire, combien de temps consacrez-vous aux activités ou aux personnes suivantes:

| | | |
|---|---|---|
| Vos enfants? | _____ | heures |
| Votre emploi? | _____ | heures |
| Le trajet maison-travail? | _____ | heures |
| Votre conjoint(e)? | _____ | heures |
| Votre sommeil? | _____ | heures |
| TOTAL | _____ | heures |

Si le total dépasse vingt-quatre heures, vous avez un problème! Sérieusement, il ne vous reste pas beaucoup de temps pour vous seuls, n'est-ce pas? C'est un point très important. Vous devez comprendre que vous êtes importants. Le temps que vous vous accordez doit devenir votre plus grande priorité.

# Le Constat

Nos amis se retrouvent quelques semaines après l'incident. Le père de Vincent doit subir un triple pontage coronarien. Leur rencontre est plus sérieuse et plus sobre que celle de la dernière fois.

«Ce qui vient d'arriver à mon père m'a littéralement démoli», dit Vincent. «J'avais toujours pensé qu'il vivrait jusqu'à cent ans, avec son caractère entêté.»

«Tu ne vois pas qu'il est exactement comme toi», lui répond Robert. «Ton père agit comme tu agiras quand tu auras son âge. Tel père, tel fils : ça n'a jamais été aussi vrai.»

«Tu veux dire que je peux m'attendre à faire une crise cardiaque avant que mes filles aient trente ans. Seigneur, je pourrais tout aussi bien être mort avant leur mariage», soupire Vincent.

«Ah, tombe pas dans le mélodrame, veux-tu!», lui dit France. «Si tu te sens vraiment concerné par ta santé, eh bien tu ferais mieux de commencer tout de suite à modifier tes habitudes de vie. Je t'aime comme tu es, mais tu es exactement comme ton père et je ne vois pas ce qui pourrait nous faire croire que la même chose ne t'arrivera pas si tu continues comme tu es parti.»

Vincent a l'air à peu près aussi heureux qu'une dinde juste avant l'Action de grâce. D'ailleurs son double menton partage une ressemblance frappante avec le cou d'un dindon...

«Tu vois», poursuit Robert, «Ça m'a donné un coup à moi aussi. Moi aussi, je me préoccupe de mon poids et ça ne me dérangerait pas de perdre quelques kilos, mais... j'ai essayé des régimes et puis j'ai un style de vie plutôt actif, alors je ne crois vraiment pas que ça fonctionne avec moi.»

Julie a perdu son père trois ans plus tôt suite à des complications dues au diabète. Il souffrait d'embonpoint... non, pour dire vrai, il a été obèse pendant la majeure partie de sa vie adulte. Julie n'avait jamais cru que la mort de son père pourrait remettre en question son style de vie.

«Je commence à croire que j'ai peut-être besoin de me remettre en forme moi aussi», dit-elle. «J'aime bien manger et pouvoir prendre tranquillement de temps en temps quelques verres, mais j'ai peur d'être en train de prendre de mauvaises habitudes dont j'aurai du mal à me débarrasser plus tard si je ne les prends pas au sérieux dès maintenant. Tout de même, je dois dire que je partage l'appréhension de Robert face aux régimes. Je ne crois vraiment pas qu'ils soient efficaces. On reprend tout le poids perdu dès qu'on arrête le régime. Et puis l'exercice! Me voyez-vous en train de faire de l'exercice? Ha! Ha!»

France reprend le fil de la conversation et leur dit : «Écoutez, vous êtes mes amis et je vous aime beaucoup. Je crois que vous avez déjà fait un grand pas en admettant que vous avez certainement des modifications à apporter à votre style de vie. Je vous en prie, laissez-moi vous montrer comment faire. Je vous promets que ça ne fera pas mal et que vous pourrez toujours goûter aux bonnes choses de la vie.»

# La Résolution du Changement

Voici maintenant le moment solennel de votre lecture. Répétez après moi et complétez les espaces blancs avec les informations appropriées :

Moi, ___(Votre nom)___, je jure solennellement sur la tombe de ____(Le nom d'un proche décédé)____ de mener une existence plus saine et de rejeter à jamais mon côté douillet.

Il se peut très bien que vous ayez déjà fait quelque chose de semblable par le passé. C'est un genre d'engagement qui ressemble un peu aux résolutions du Nouvel An : vos intentions sont bonnes, mais justement, comme disaient nos grand-mères, «l'enfer est pavé de bonnes intentions.»

Ne vous mettez pas tout le blâme. Vos regrets au sujet de ces tentatives manquées deviendront bientôt votre plus grande source de motivation lorsque vous aurez en main les bons outils et les connaissances appropriées pour commencer notre programme. Il est important que vous preniez un engagement envers vous-mêmes. Cependant, ce serait bête de prendre cet engagement sans vous donner les moyens d'atteindre vos buts. Imaginez un peu que vous vouliez acheter une voiture sans en avoir l'argent. Ou encore, comment voudriez-vous faire des études collégiales sans avoir complété votre secondaire? Vous ne pourrez pas vous débarrassez de vos kilos en trop tant que vous n'aurez pas compris ce qu'ils sont exactement et que vous ne serez pas prêts psychologiquement à changer.

## Les Tentatives Ratées

Si vous avez essayé par le passé d'améliorer votre condition physique et que vous avez échoué (selon vous), il se peut bien qu'il vous manque quelques notions de base. Malheureusement, ces échecs tendent à favoriser l'émergence d'une certaine acceptation de votre style de vie de pantouflard. Vous trouverez facilement d'autres personnes qui se contentent de leur style de vie douillet et qui pourront compatir avec vous autour d'un plat de beignes bien gras et d'un double café.

Vous vous reconnaissez dans ce tableau?

Vous attendez pour bientôt un événement important :

1.  La naissance d'un enfant;
2.  Des vacances dans une destination soleil;
3.  Une réunion d'anciens étudiants;
4.  Un mariage.

Vous avez pris la résolution :

1.  De retrouver le tour de taille que vous aviez au secondaire;
2.  De ressembler à un figurant de Baywatch;
3.  De ne pas avoir l'air aussi gros(se) que ___ (Votre ennemi mortel)___;
4.  De ressembler aux figurines placées sur le gâteau.

Ce genre de résolutions commence à apparaître de six à huit semaines avant l'événement en question. L'événement est votre motivation. Avec un peu de chance, vous pourriez bien réussir à atteindre votre but à court terme. Ce que vous aurez appris de vos échecs, cependant, c'est que ce genre de motivation n'est pas suffisant lorsqu'il s'agit d'objectifs à long terme. Vous vous êtes probablement laissé mourir de faim en vous basant sur votre perception de ce que vous devriez être idéalement. Des études montrent que cela a pour effet de laisser entendre à votre corps que vous crevez effectivement de faim. Notre corps est une invention merveilleuse. Notre mécanisme interne de défense considère ces privations comme une attaque envers notre corps, ce qui a pour effet qu'à la première occasion, celui-ci se dit : «Je suis presque mort de faim la dernière fois, je ferais mieux de faire le plein de graisse cette fois-ci pour être certain que ça ne m'arrivera plus.»

Votre cerveau pourra bien se jouer de votre corps pendant un certain temps, mais, à la longue, votre corps finira par prendre ce dont il croit avoir besoin. À la fin, vous vous retrouvez avec plus de graisse qu'avant et vous prenez cela pour une preuve que les régimes et l'exercice n'ont aucun effet sur vous. Il est très difficile de renverser le verdict de la plus haute cour de justice qui soit - votre expérience personnelle. Ce que je veux vous suggérer, c'est de tenter de nouveau ce qui était avant voué à l'échec dès le départ pour deux raisons :

1) Vous n'aviez pas la bonne motivation;
2) Vous n'aviez pas les connaissances nécessaires pour améliorer significativement votre condition physique.

# Le Festival des Lamentations

Robert, Julie, Vincent et France ont décidé de se rencontrer une fois par semaine pour discuter des principes de bases d'un style de vie équilibré et pour travailler ensemble à élaborer un programme d'exercice adapté aux besoins de chacun d'eux. Nos amis semblent tous un peu sur la défensive, inquiets. Robert, en bon avocat, a déjà l'air songeur : il est prêt pour une discussion serrée sur le sujet.

Il se lance :

«France, j'ai déjà un style de vie actif. Je joue au football et au baseball dans des ligues de garage, et au squash aussi. Je n'ai pas l'air gros, mais je sais que j'ai pris quelques kilos depuis l'université. Je n'ai pas non plus toujours toute l'énergie que je voudrais pour faire mon travail de toute la semaine. D'un autre côté, les régimes, c'est chiant. Je n'ai pas l'intention de me laisser mourir de faim. Je pourrais couper dans certaines choses, mais je ne veux pas qu'on me dise quoi manger.»

«Ouais, et c'est la même chose pour moi», reprend Julie. «Regarde-moi un peu. Est-ce que j'ai l'air d'une athlète? Il est absolument hors de question que tu m'obliges à courir dans le voisinage ficelée comme un saucisson dans des cuissards en spandex!»

France éclate de rire. «Bon, d'accord, tout le monde! Allons-y une étape à la fois. Je ne vous demande pas de faire quelque chose que vous ne voulez pas faire. En passant, Robert, je suis parfaitement d'accord avec toi au sujet des régimes : c'est chiant. Aujourd'hui, nous allons simplement regarder quelques notions primaires et commencer à prendre en note des données afin d'analyser la situation de chacun. Notre temps se partage différemment les uns des autres, nos habitudes alimentaires nous sont propres à chacun et nous devons comprendre où peuvent se trouver dans notre propre vie les opportunités d'améliorer notre condition physique.»

«D'accord», répondent en chœur Robert et Julie.

«La première chose que je vous demande de faire est de tenir au cours de la prochaine semaine un journal où vous noterez tout ce que vous mangerez et où vous passez votre temps, en commençant dès votre lever demain matin. Remarquez qu'il est prouvé que les gens ont tendance à changer leurs habitudes alimentaires dès qu'on leur demande de les noter, question de paraître à leur avantage. Ne le faites surtout pas, puisque ça reviendrait à vous mentir à vous-mêmes. Compris?»

«O.k.! Ouais, ouais. D'accord», répondent les autres.

«Est-ce qu'il faut que je note les collations que je prends la nuit?» demande Vincent.

France fronce les sourcils en regardant son douillet de mari.

«Mais pourquoi on doit le faire, au fait?» demande Julie.

«Je vais ramasser vos journaux avant la prochaine réunion. Ça va me permettre de déterminer combien de calories vous absorbez en moyenne chaque jour. De cette façon, on peut comprendre beaucoup de choses intéressantes.»

«Par exemple...?» demande Robert.

«Bien, on peut facilement déterminer si vous consommez assez ou trop de calories pour vous maintenir à votre poids idéal et mener votre style de vie habituel. Je suis prête à parier que mon cher mari dodu absorbe un peu plus de calories qu'il ne lui en faut», ajoute France en souriant.

Vincent leur rend son sourire.

«Est-ce qu'il y a autre chose?», demande Julie.

«Votre emploi du temps est une partie très importante de cet exercice. On est tous très occupés avec notre carrière et toutes nos responsabilités familiales et domestiques. C'est important de mettre au clair nos heures de travail et nos heures libres, afin d'essayer de trouver ici et là du temps pour notre programme de mise en forme», dit France.

«Je ne trouve toujours pas ça rassurant», se plaint Julie.

«Mais tu vas essayer quand même pour moi, n'est-ce pas, Julie?» demande France.

«Allez, dis oui», lui disent Robert et Vincent.

«Bon, d'accord, je vais le faire. Est-ce qu'on peut prendre le dessert, maintenant? Qui veut une tranche de gâteau au fromage?... Mais non, je blague! Vous prenez du céleri et du son d'avoine?» ajoute Julie avec un air de dégoût moqueur.

# La Prise en Note des Habitudes Alimentaires et de L'emploi du Temps

Les pages qui suivent pourront vous servir à noter votre régime alimentaire et votre emploi du temps. Vous devez les compléter aussi fidèlement que possible, afin qu'elles puissent vous donner une idée réelle de votre situation quant à la consommation de matières grasses, au total des calories prises quotidiennement et à la portion de votre temps disponible pour l'exercice. N'essayez pas de contourner cet exercice. Si vous vous dites simplement «Ouais, ouais, je sais que je dois manger moins et faire plus d'exercice», vous passerez à côté du but visé. C'est entendu, vous devrez probablement manger moins et faire plus d'exercices. Cependant les changements à apporter peuvent être beaucoup moins draconiens que vous ne le pensez. Le but de l'exercice est de vous montrer exactement ce dont vous aurez besoin pour vous mettre en forme. Ne sautez donc pas cette étape importante.

En prenant en note votre régime alimentaire, vous faites face à deux choix. Vous pouvez montrer votre journal de bord complété à un(e) diététiste professionnel(le) afin qu'il ou qu'elle détermine votre consommation de calories et de matières grasses, ou vous pouvez apprendre à devenir un consommateur plus averti et faire vous-mêmes ces calculs. Je recommande d'utiliser les services d'un diététiste pour analyser les données recueillies lors de la première semaine afin que vous ayez en main une idée très fidèle de votre situation actuelle. Vous devriez être prêts à répondre à des questions détaillées au sujet de vos repas, des médicaments que vous prenez et de votre style de vie. Vous pourriez aussi apporter avec vous les recettes de vos plats habituels ainsi que des informations prises sur les étiquettes des emballages des produits alimentaires que vous utilisez. Vous pouvez trouver un diététiste près de chez vous en consultant le site Web des diététistes du Canada à l'adresse www.dietitians.ca ou en appelant le Réseau des diététistes du Canada au 1-888-901-7776. Pour faire partie de la corporation, un diététiste doit avoir complété une formation universitaire de quatre années en nutrition et avoir fait une année d'internat ou encore avoir obtenu une maîtrise dans ce domaine. Il lui faut de plus passer un examen pour joindre la corporation.

Les diététistes ont une solide formation et peuvent vous aider à évaluer votre consommation de matières grasses, de glucides et de protéines. De plus, ils connaissent des stratégies pour faciliter les changements de certains comportements. Ces stratégies aident les patients à apporter les changements nécessaires en identifiant et contrôlant les obstacles qui s'interposent. Ils peuvent aussi vous aider si vous avez d'autres questions en matière d'alimentation.

Vous devez décider si vos habitudes alimentaires peuvent s'améliorer sans l'aide d'un diététiste. Les gens n'hésitent pas à consulter un dentiste ou un médecin lorsqu'ils en ont besoin. Les diététistes sont des professionnels compétents pour tous vos problèmes alimentaires.

En ce qui concerne la prise en note de votre emploi du temps, vous n'avez qu'à remplir les cases correspondant aux diverses plages horaires de la journée en notant l'endroit où vous étiez pendant cette période. Habituellement, la plage de 23h à 7h est consacrée au sommeil; la plage de 7h à 7h30, au lever et au déjeuner; la plage de 7h30 à 8h30 au déplacement vers le lieu de travail, etc. Cet exercice vous montrera les plages «libres» où il vous sera possible d'inclure des périodes d'exercice.

## Journal de Bord – l'alimentation

Jour _____

| Repas et collations | Ce que vous avez mangé ou bu |
|---|---|
| Déjeuner | |
| Collation | |
| Dîner | |
| Collation | |
| Souper | |
| Collation | |
| Boissons | |
| Total des calories | |
| Total des matières grasses | |
| % des calories provenant des matières grasses | |

(Vous pouvez photocopier cette page.)

**La Prise en Note des Habitudes Alimentaires et de L'emploi du Temps**

## Journal de Bord – l'emploi de temps

Jour _____

| Heures | Activités |
|---|---|
| Minuit | |
| 6 heures | |
| 7 heures | |
| 8 heures | |
| 9 heures | |
| 10 heures | |
| 11 heures | |
| Midi | |
| 13 heures | |
| 14 heures | |
| 15 heures | |
| 16 heures | |
| 17 heures | |
| 18 heures | |
| 19 heures | |
| 20 heures | |
| 21 heures | |
| 22 heures | |
| 23 heures | |

(vous pouvez photocopier cette page.)

Certaines personnes, à cause de leur style de vie et des circonstances sociales, ont développé de très mauvaises habitudes alimentaires. Ceci n'est pas un jugement porté envers elles; il s'agit d'une réflexion sur une réalité. Si vous n'aviez pas l'habitude lorsque vous étiez enfants d'essayer de nouveaux aliments, il y a de fortes possibilités pour que vous ne soyez pas très aventureux sur ce point maintenant que vous êtes adultes. Il est bien plus facile de rester dans le domaine des choses connues et éprouvées que de partir à l'aventure dans l'Inconnu. Cela est particulièrement vrai lorsqu'il s'agit d'une chose aussi fondamentale que la nourriture que nous mangeons. Certains ont grandi en mangeant régulièrement de la friture. Cela faisait partie de la socialisation et de la culture dans lesquelles ils ont été élevés. Si vous vous reconnaissez dans ce portrait, il serait bon que vous consultiez un diététiste. Vous avez besoin d'améliorer graduellement votre régime alimentaire afin de découvrir des aliments sains qui ne vous dérangeront pas et qui pourront équilibrer votre alimentation.

Une partie du secret d'une alimentation équilibrée consiste à compter les calories et les matières grasses consommées. L'autre partie réside dans une alimentation saine qui vous assure un approvisionnement énergétique adéquat tiré d'une grande variété de sources différentes. Le côté ironique de toute cette affaire est que plus vous prendrez de responsabilités face à votre alimentation, plus vous mangerez sainement et mieux vous vous porterez.

Selon le Guide alimentaire canadien (voir l'annexe 6), vous devriez trouver vos sources d'énergie alimentaire dans les aliments des groupes suivants :

- Pains et céréales;
- Fruits et légumes;
- Lait et produits laitiers;
- Viandes et substituts.

Si vous ne maintenez pas un équilibre entre ces quatre groupes, vous risquez que votre corps n'ait pas accès à toutes les variétés de nutriments dont il a besoin, ni aux portions recommandées de glucides, de protéines et de matières grasses. Un diététiste peut vous donner des lignes directrices pour combler vos manques dans certains groupes d'aliments. Nous y reviendrons.

Ce livre se veut un voyage au cours duquel nous suivrons les changements qui affecteront nos amis : France, Vincent, Robert et Julie. Si l'on voulait faire la traversée du Canada de Terre-Neuve à la Colombie-Britannique, il serait bien difficile de ne pas passer par la Saskatchewan (ce n'est pas impossible... simplement difficile). Ainsi, au fil de notre voyage, vous devrez comprendre les notions de base au sujet des calories et des matières grasses. Quand vous serez à destination, ces sujets ne vous causeront plus de problèmes. Pour faire une autre comparaison, vous souvenez-vous de la dernière fois où vous avez dû résoudre de longues colonnes de calculs? Cependant, vous vous souvenez des principes de base du calcul et cela vous permet d'accomplir une foule de petites tâches utiles dans la vie de tous les jours.

Si vous avez décidé de ne pas consulter un diététiste pour déterminer votre consommation de calories et de matières grasses, nous allons maintenant nous lancer dans un cours intensif à ce sujet.

# Calcul des Calories et de la Quantité de Matières Grasses

La calorie représente une quantité d'énergie, un peu comme un litre d'essence pour une voiture. Notre corps nous rappelle continuellement qu'il faut «faire le plein» en déclenchant un signal - la sensation de faim - qui en principe cesse après que l'on a mangé. Mais comment pouvons-nous estimer simplement le nombre de calories et de grammes de matières grasses que nous consommons sans avoir à traîner un livre partout avec nous?

La solution se trouve sur les étiquettes des emballages des aliments; il faut prendre l'habitude de porter attention à ce qu'ils vous disent.

Le tableau suivant devrait vous aider pour commencer. N'oubliez pas que la quantité de matières grasses contenues dans les légumes et les fruits frais est négligeable. Si un aliment a été préparé (mise en conserve, congélation, cuisson, etc.), il peut après coup contenir plus de calories et/ou de matières grasses. Il existe d'excellents livres permettant de calculer la quantité de matières grasses et les calories fournies par les aliments. Ils peuvent constituer un bon investissement. Cependant, n'allez pas croire que vous allez passer votre vie à les consulter quotidiennement; c'est l'affaire d'environ une semaine, avec des consultations ponctuelles aux six mois peut-être, si vous le jugez nécessaire. Je ne crois pas que calculer la quantité de matières grasses puisse être en soi une mesure significative. L'important, c'est d'avoir une vue concrète de votre situation actuelle en ce qui concerne vos habitudes alimentaires. Cela peut vous montrer l'importance de votre surconsommation de matières grasses et vous donnera des informations pertinentes sur lesquelles vous pourrez baser les changements à apporter à votre alimentation. Vous obtiendrez également un aperçu de l'équilibre que vous observez actuellement entre les quatre groupes alimentaires. Cela vous permettra de faire les agencements qui vous donneront toutes les calories dont vous avez besoin en plus des nutriments qui sont essentiels à une meilleure santé.

# Calcul des Calories et de la Quantité de Matières Grasses

Tableau des aliments de base, des calories qu'ils fournissent et du pourcentage de ces calories qui provient des matières grasses

| Aliments | Portions | Calories | M.G. (gr) | % de calories provenant des M.G. |
|---|---|---|---|---|
| Bacon | 2 tranches | 90 | 4 | 40% |
| Bagel | 1 | 200 | 1,5 | 7% |
| Beurre | 1 noix | 36 | 4 | 100% |
| Beurre d'arachides | 2 c. à table | 190 | 16 | 76% |
| Bœuf haché | 3 onces | 215 | 14 | 59% |
| Brownies | 1 | 230 | 11 | 43% |
| Céréales "All Bran" | 125 ml | 80 | 1 | 11% |
| Céréales "Corn Flakes" | 250 ml | 110 | - | - |
| Céréales "Raisin Bran" | 250 ml | 170 | 1 | 5% |
| Chocolats "Hershey Kiss" | 8 chocolats | 200 | 12 | 54% |
| Côtelettes de porc | 1 | 140 | 5 | 42% |
| Croustilles | 1 once | 160 | 10 | 56% |
| Fromage "Cheese Whiz" | 2 c. à table | 100 | 8 | 72% |
| Fromage* (régulier) | 1 once | 80 | 4,5 | 51% |
| Fromage* (léger) | 1 once | 50 | 2 | 36% |
| Gâteau au fromage | 1 pointe (1/16) | 410 | 28 | 61% |
| Gruau | 1 sachet | 110 | 2 | 16% |
| Jus de pomme | 125 ml | 65 | - | - |
| Œuf frit | 1 | 95 | 7 | 66% |
| Œuf poché | 1 | 79 | 5,6 | 64% |
| Lait entier | 250 ml | 210 | 8,5 | 36% |
| Lait 2% | 250 ml | 180 | 5 | 25% |
| Lait 1% | 250 ml | 160 | 2,5 | 14% |
| Lait écrémé | 250 ml | 140 | - | - |
| Lait de poule | 250 ml | 340 | 19 | 50% |
| Maïs | 125 ml | 80 | 0,5 | 6% |
| Pain | 1 tranche | 75 | 1 | 12% |
| Pâtes alimentaires | 2 onces | 210 | 1 | 4% |
| Pomme | 1 | 80 | - | - |
| Pomme de terre | 1 | 210 | - | - |
| Poitrine de poulet | 3,5 onces | 200 | 7,7 | 35% |
| Roti de boeuf | 3 onces | 218 | 15,6 | 64% |
| Saucisson de Bologne («Baloney») | 1 tranche | 90 | 8 | 81% |

* La teneur en matières grasses et en calorie des fromages varie beaucoup selon la sorte et la marque. Ceci n'est donc qu'une indication. Le fromage est bon pour la santé, mais il faut apprendre à l'utiliser avec modération et à choisir des fromages maigres de préférence.

# Calcul des Calories et de la Quantité de Matières Grasses

Supposons que vous avez devant vous une pointe de gâteau au fromage. Pour évaluer la valeur nutritive d'un mets composé, nous en analysons les ingrédients. Prenons la recette suivante :

## Gâteau au fromage

### Croûte :

| | |
|---|---|
| Chapelure de biscuits Graham (20 biscuits) | (464 cal./13,3g de matières grasses) |
| 58g de beurre fondu | (180 cal./22g de matières grasses) |
| 1 c. à table de miel | (64 cal./0g de matières grasses) |
| 1 c. à table de farine | (Quelques traces seulement) |

### Remplissage :

| | |
|---|---|
| 454g de fromage à la crème | (1600 cal.!/160g de matières grasses!) |
| 1/3 de tasse de sucre | (257 cal./pas de matières grasses) |
| 4 œufs | (316 cal./22.4g de matières grasses) |
| 1 c. à table de vanille | (Quelques traces seulement) |
| Jus et zest de citron | (Quelques traces seulement) |

### Garniture :

| | |
|---|---|
| 250g de crème sure | (450 cal./42g de matières grasses) |
| 1/2 tasse de sucre | (386 cal./pas de matières grasses) |
| 1 c. à table de vanille | (Quelques traces seulement) |

Voici maintenant une formule qui vous sera utile :

**% de calories provenant des matières grasses = (grammes de M.G. X 9) ÷ total des calories**

Nous pouvons voir en examinant individuellement les ingrédients que ce gâteau contient au total 3 717 calories et 260g de matières grasses. Un gramme de matières grasses fournit 9 calories. Donc, 260 X 9 = 2 340 calories provenant des matières grasses, ce qui fait 63% (2 340 ÷ 3 717 = 0.629) de toutes les calories! Merveilleux! Si vous en méritez un morceau et que votre alimentation et votre condition physique sont bien équilibrées, allez-y, faites-vous plaisir! Si votre alimentation et votre condition physique ne sont pas équilibrées, vous pouvez toujours en prendre une pointe, s'il le faut, mais je ne crois pas que vous l'apprécierez autant. Si l'on divise le gâteau en dix pointes, nous savons que chaque portion contient 10% des calories et des matières grasses, ce qui fait 372 calories, dont 234 proviennent des matières grasses. Si vous mourez d'en manger une autre pointe, n'oubliez pas de l'inscrire dans votre journal de bord!

Vous pouvez vous rendre la vie plus facile en utilisant des livres de recettes qui indiquent la teneur en calories et en matières grasses des mets proposés. Vous en retrouverez quelques-uns parmi les meilleurs à l'annexe 3. Prenez le temps de bien retenir la formule pour trouver le pourcentage de calories provenant des matières grasses. Pratiquez-vous en lisant les étiquettes d'emballages de produits alimentaires. Cela vous aidera à faire les bons choix.

# L'Analyse des Habitudes Alimentaires

Après leur dernière rencontre, nos amis sont retournés chacun de son côté à leur vie trépidante. Voici le sommaire des informations recueillies. La notion d'IMC, qui signifie Indice de Masse Corporelle, vous sera expliquée un peu plus loin. Remarquez la différence qui existe entre chacun des individus en ce qui a trait à l'équilibre entre les quatre groupes d'aliments : cette différence existe aussi entre deux individus du même couple, quoique tous deux vivent sous le même toit. Les époux ne mangent pas nécessairement la même chose. Les habitudes alimentaires sont spécifiques à chaque individu.

| | Robert | Vincent | France | Julie |
|---|---|---|---|---|
| Grandeur | 1,78m (6'2") | 1,63m (5'8") | 1,61m (5'7") | 1,58m (5'6") |
| Poids | 109kg (240lb) | 89kg (195lb) | 55kg (120lb) | 75kg (165lb) |
| IMC | 31 | 29,5 | 19,5 | 26,5 |
| Calories absorbées/jour (+-) | +150 | +100 | -75 | 0 |
| % calories matières grasses | 42% | 39% | 22% | 34% |
| % calories des glucides | 38% | 45% | 60% | 40% |
| % calories protéines | 20% | 16% | 18% | 26% |
| Pains et céréales | Faible | Élevé | Adéquat | Élevé |
| Fruits et légumes | Faible | Faible | Adéquat | Élevé |
| Lait et produits laitiers | Élevé | Faible | Adéquat | Faible |
| Viandes et substituts | Élevé | Correct | Adéquat | Élevé |

Tous ont hâte de voir les résultat. Ils sont un peu nerveux, aussi. Chacun sait que les résultats vont leur rendre un portrait d'eux-mêmes qu'ils aimeraient mieux ignorer.

«Ah! ah!», s'exclame Julie, tout heureuse. «Je le savais depuis le début. Vous voyez, ma quantité de calories absorbées est équilibrée. Je n'ai plus aucune raison de m'inquiéter!»

«On a tout de même chacun des aspects sur lesquels travailler, Julie», lui répond France. «Vous voyez que j'ai été un peu trop enthousiaste au sujet de mes habitudes alimentaires. Je sais que vous ne serez pas désolés pour moi, mais j'ai un problème moi aussi : je ne mange pas assez. Quelques fois, je n'ai tout simplement pas faim après mon entraînement.»

«Ouais, mais sincèrement France, Vincent et moi, on mange peut-être une ou deux rôties de trop le matin. Est-ce que ça constitue vraiment un problème?» demande Robert.

France lui répond : «Un surplus de seulement dix calories par jour représente un gain de 3650 calories par année. Comme 3500 calories équivalent à peu près à une livre de graisse, ce petit surplus quotidien est la cause que beaucoup d'hommes et de femmes prennent une livre par an à partir de 35 ans. C'est comme ça que les gens d'un certain âge prennent du ventre.»

«Hé! qui est-ce que tu appelles "les gens d'un certain âge"?», lance Vincent.

«Bon, alors on laisse tomber les rôties. Est-ce que c'est tout ce qu'on a à faire?», demande Robert.

«Eh bien, vous devriez tous vraiment porter attention à votre consommation de matières grasses. Je crois que vous devriez tous faire des choix plus avisés pour le dîner. C'est en train de vous rendre malade. Vous devriez surveiller aussi l'équilibre entre les quatre groupes d'aliments à l'intérieur de vos habitudes alimentaires. Il y a visiblement beaucoup de place à l'amélioration afin de donner à votre corps les nutriments dont il a besoin sans augmenter votre consommation de calories.»

«Est-ce que je dois prendre ça au sérieux, moi aussi?», demande Julie.

«Absolument, Julie. Notre but est d'essayer que moins de 30% du total de nos calories proviennent des matières grasses. Si on peut réduire ce pourcentage à 22%-25% et que ça reste dans nos habitudes, on peut compter sur un coussin qui nous permet de nous laisser aller un peu sans crainte de dépasser les 30%. Un régime alimentaire faible en matières grasses est très important pour réduire les risques de maladies reliées à l'embonpoint qui apparaissent plus tard dans la vie. 34% des calories que tu absorbes quotidiennement proviennent de matières grasses, il n'y a pas de quoi être fière, ma chère. Il faut que tu surveilles de plus près de quels groupes alimentaires proviennent tes calories. Tu vois, tu ne manges pas assez de fruits, de légumes ni de produits laitiers. Les aliments appartenant à ces groupes fournissent à ton corps des nutriments très importants à son bon fonctionnement. Il faut que ton alimentation soit mieux équilibrée. C'est la même chose pour vous, les gars. Vous aussi, vous avez des carences que vous devez combler, tout comme moi, d'ailleurs.»

Le groupe semble un peu sonné par ces constations. France décide donc de donner le coup de grâce.

«Il y a autre chose. Je ne crois pas que vous ayez accordé dans vos journaux de bord assez d'importance à certains aspects de notre vie sociale et de nos moments de détente que nous aimons bien», continue France.

«Qu'est-ce que tu veux dire?», demandent les autres, un peu naïvement.

«Vous avez inscrit que vous preniez en moyenne deux verres d'alcool par semaine. Je sais que Vincent bois en moyenne plus que ça. Sa consommation d'alcool doit avoisiner facilement les huit ou dix verres par semaine, ce qui ajoute au total de 1 200 à 1 500 calories par semaine, soit près de 200 par jour.»

Vincent et Robert se lancent un regard piteux. Julie comprend elle aussi qu'elle n'a pas vraiment tenu compte dans son journal des moments de détente et des soirées.

«Donc tu nous recommandes maintenant de vivre une vie de moine et de renoncer à jamais au "démon de l'alcool"?», lance Vincent avec sarcasme.

«Non. Je vous suggère cependant d'augmenter votre niveau d'activité physique afin de compenser pour ce surplus de calories et de commencer à manger de manière plus équilibrée», reprend France.

«Comment on peut faire ça? On joue déjà au squash et je n'ai pas plus de temps libre à consacrer à d'autres exercices», réplique Robert.

«Je vois pas, moi non plus, comment je pourrais trouver plus de temps pour faire du sport», dit Vincent.

«Est-ce que tu vois une heure de libre dans mon horaire?», demande ironiquement Julie.

Le groupe devient de plus en plus irritable. France vient de mettre à jour leurs points faibles et les trois amis se sentent mis au pied du mur. France comprend que le moment de vérité est arrivé pour eux. Si elle les laisse aller maintenant, ils ne voudront plus revenir sur le sujet et ne changeront rien à leur style de vie.

«Allez! Arrêtez de faire vos têtes d'enterrement!», leur dit France en riant. «Vous réagissez exactement comme tous les clients avec qui je travaille au gym. Ce qui vous arrive présentement est tout à fait normal. Au point où nous en sommes dans notre démarche, nous avons simplement identifié quelques besoins de changement spécifiques à chacun de nous. Le problème critique qu'il faut régler maintenant pour réussir, c'est d'élaborer un plan qui va nous permettre d'apporter les changements nécessaires afin que nous puissions bénéficier des avantages d'un style de vie plus sain.»

«Ouais, tu peux me rappeler ce que c'est, déjà, ces avantages», grogne Vincent.

# Au Sujet de l'Alimentation

Il existe des milliers de livres touchant le sujet des régimes et de l'exercice. Si mon seul but était de vous dire de vous mettre au régime et de faire de l'exercice, mon livre pourrait aller rejoindre sur les tablettes des librairies d'autres petits livres divertissants, tels *Considérations sur l'éthique : le point de vue d'un avocat ou Les meilleures blagues du 23e congrès annuel des comptables agréés*. Sérieusement, je crois que la littérature qui aborde ces sujets est actuellement trop portée sur les études scientifiques et les théories et pas assez sur l'application des concepts de base présentés de manière intéressante pour des gens comme vous qui en ont assez du cercle vicieux des régimes et des programmes d'exercices qui vous font plus de tort que de bien. Afin de bien comprendre les régimes et l'activité physique, nous allons devoir apprendre quelques notions de base en physiologie, la science qui explique comment fonctionne le corps. Une fois que l'on a compris l'interaction qui existe entre notre corps, notre alimentation et l'exercice, on dispose d'un cadre à partir duquel on peut élaborer un programme qui durera toute la vie.

Le Guide alimentaire canadien nous aide grandementlorsqu'il s'agit d'établir quels sont nos besoins nutritionnels. Le Guide met l'accent sur une alimentation qui puise de façon équilibrée dans les quatre groupes alimentaires. C'est grâce à cet équilibre que vous pouvez prendre toutes les variétés de nutriments dont votre corps à besoin. Malheureusement, le Guide alimentaire s'adresse à tout le monde et n'a pas été élaboré uniquement pour vous, selon vos besoins spécifiques. C'est pourquoi tout en apprenant à travailler selon les paramètres du Guide, nous essaierons de comprendre nos propres besoins nutritionnels et de trouver des moyens de personnaliser les recommandations du Guide selon ces besoins.

# Les Regimes

Ceci n'est pas une étude exhaustive des effets physiologiques des régimes. Pour un aperçu plus complet sur le sujet, veuillez vous référer à l'annexe 3. Vous trouverez les connaissances qu'il vous faut pour commencer dès maintenant à manger plus intelligemment et pour comprendre les raisons pour lesquelles vos mauvaises habitudes ont des répercussions non seulement aujourd'hui, mais aussi sur votre état de santé futur. Ce n'est pas non plus un survol de tous les régimes existants. La leçon à retenir est que vous êtes responsables de vous-mêmes. Prenez le temps d'apprendre ce dont votre corps a besoin et la manière d'harmoniser tout cela avec votre style de vie.

L'un des aspects les plus importants d'un régime équilibré est d'essayer de maintenir le pourcentage de calories provenant des matières grasses sous la barre des 30% du total des calories absorbées et de s'assurer que ce total n'est ni trop élevé, ni trop faible pour vos besoins. Pour y arriver, il vous faudra acquérir quelques notions de base.

# L'Alimentation

Pour vivre, notre corps doit pouvoir puiser à plusieurs sources de nourriture différentes. L'énergie alimentaire provient des matières grasses, des glucides et des protéines. Chacun de ces types de matières nutritives joue un rôle important dans l'approvisionnement de notre corps en nutriments essentiels au maintien de notre bonne santé. Les matières grasses, les glucides et les protéines nous procurent tous de l'énergie que nous pouvons utiliser ensuite pour accomplir une foule de tâches, allant de la respiration et du sommeil jusqu'à la course et la natation.

Nous avons reconnu que, pour la plupart d'entre nous, nous avons tendance à manger plus que nous n'en avons besoin et que notre consommation de matières grasses est trop élevée. À cet effet, il faut aborder le sujet des fibres alimentaires. Les fibres sont des héroïnes discrètes dans notre histoire et il faut reconnaître leur importance.

## Les Matières Grasses

Les matières grasses sont essentielles aussi bien pour la production d'hormones qu'en tant que source de certaines vitamines liposolubles. Notre graisse corporelle insole notre corps du froid et le protège de certaines avaries. Éliminer complètement les matières grasses de notre alimentation ne serait pas seulement irréaliste, mais aussi potentiellement dangereux. Chez les gens normaux et relativement en bonne santé, la consommation quotidienne de matières grasses doit se limiter au plus à 30% de leur consommation totale de nourriture. Nous verrons bientôt comment calculer tout cela. Le fait est que la consommation de matières grasses du Nord-Américain moyen dépasse les 40%. Tout au long de la présente section, gardez bien à l'esprit qu'il existe trois genres de mensonges : les simples mensonges, les grands mensonges, et les statistiques. Les statistiques concernant l'alimentation peuvent souvent induire les néophytes en erreur : ne sautez donc pas aux conclusions tant que vous n'en saurez pas plus sur le sujet.

Les matières grasses se trouvent dans le beurre, la margarine, les huiles de cuisson, le lait, le fromage, les noix, le chocolat, la viande, les soupes et les pâtisseries (ces dernières contenant habituellement quelques-uns des produits précédents). Honnêtement, il est pour ainsi dire impossible de couper complètement la consommation de matières grasses. Notre but est plutôt de limiter la quantité que nous absorbons à ce dont nous avons réellement besoin.

La question des matières grasses peut se diviser en un grand nombre de sujets plus compliqués. Nous pourrions aborder des notions telles le cholestérol, le bon gras, le mauvais gras, les triglycérides, les gras saturés et insaturés, et la multitude des effets que ces substances peuvent avoir sur notre corps. Oui, nous pourrions aborder ces sujets... mais nous ne le ferons pas. Du gras, c'est du gras. Les gens n'auraient pas tant de problèmes avec leur taux de cholestérol s'ils réduisaient tout simplement leur consommation de matières grasses plutôt que de se demander constamment si le gras qu'ils mangent est «bon» ou «mauvais». Ne vous enlisez pas dans des débats sur le choix de la meilleure margarine : peu importe la marque que vous choisirez, c'est toujours du gras.

Les buts visés par le présent livre n'impliquent pas que vous ayez à comprendre tous les types de matières grasses, puisque vous avez décidé de changer votre alimentation afin de garder votre consommation de matières grasses à l'intérieur des limites acceptables. Nous pourrions étudier les matières grasses pendant des jours et des jours, consulter des experts, former des groupes d'opinion ou encore écouter les avis provenant de groupes d'intérêts spécialisés. Vous voulez savoir à quelle conclusion toutes ces démarches aboutiraient? Du gras, c'est du gras. Si vous en consommez en trop grande quantité, cela a peu d'importance que ce gras soit bon, mauvais, ou même «neutre». La surconsommation vous créera possiblement des ennuis de santé à long terme. Vous pouvez équilibrer votre consommation de matières grasses en variant votre alimentation. En général, les gens cherchent à diminuer particulièrement la quantité de gras saturés qu'ils absorbent (les gras saturés sont ceux qui restent à l'état solide à la température de la pièce ou encore ceux qui sont d'origine animale). Cela se fera tout naturellement si vous utilisez des livres de recettes à basse teneur en matières grasses et si vous diminuez votre consommation de graisses animales et de pâtisseries industrielles.

Voici quelques règles simples qui vous aideront à réduire la quantité de matières grasses contenues dans votre alimentation afin de garder votre pourcentage de calories provenant des matières grasses sous la barre des 30% de votre consommation totale de calories.

L'une des tactiques les plus simples consiste à couper dans les sources de gras ajouté, comme la margarine, le beurre, la crème sure, les vinaigrettes, etc. Recherchez des substituts faibles en gras ou même sans gras du tout. Faites vos rôties et vos sandwichs sans beurre ni margarine. Remplacez-les par de la moutarde pour les sandwichs et de la confiture pour les rôties. Il n'y a pratiquement pas de gras dans la moutarde. Le yogourt peut avantageusement remplacer la crème sure dans vos plats préférés. Un peu de jus de citron et une pincée de poivre peuvent rehausser le goût de vos salades. Faites des expériences. Essayez de nouveaux mélanges. Ainsi, vous aurez déjà enlevé de votre alimentation plusieurs sources importantes de matières grasses. Enfin, essayez de ne pas transmettre vos mauvaises habitudes alimentaires à vos enfants. Il ne vous viendrait jamais à l'idée de leur donner des cigarettes : alors pourquoi leur donner des kilos superflus?

Évitez les aliments frits. Je ne voudrais pas passer pour un fanatique «antigras», mais je dois dire que je n'ai jamais compris ce qui poussait les joueurs de ligues de garages à aller s'empiffrer d'ailes de poulet après une partie. Ces amuse-gueule frits contiennent 50% ou plus de calories provenant des matières grasses. Bien sûr, elles sont délicieuses... tout comme le gâteau au fromage. Auriez-vous envie de vous gaver de gâteau au fromage? Non. Alors, si vous voulez manger des ailes de poulet, n'en prenez qu'une ou deux; ne dévorez pas tout le plat.

Enlevez tout le gras visible sur la viande. C'est une des manières les plus simples de réduire sa consommation de matières grasses. Quand vous faites l'épicerie, prenez la peine de payer plus cher pour des coupes maigres. Il y a de sérieux écarts dans la teneur en gras selon que vous achetiez du bœuf haché régulier ou très maigre, et lorsque vous utiliserez cette viande dans vos sauces à spaghetti ou vos pain de viande, vous ne verrez pas la différence.

En ce qui concerne le bœuf haché, voici un autre truc. Quand vous faites brunir votre viande, débarrassez-la du gras fondu en inclinant la poêle et en vous servant d'une cuillère pour l'égoutter. Ensuite, versez une demi-tasse d'eau bouillante sur le bœuf afin d'en déloger presque toute la graisse liquide restante. Égouttez à nouveau. Vous pouvez maintenant utiliser cette viande débarrassée d'une grande quantité de son gras pour vos sauces à spaghetti ou pour tout autre mets. Vous ne sentirez pas de différence si vous assaisonnez d'un peu de basilic ou d'origan.

Enlevez la peau et le gras du poulet avant de le faire cuire. La peau de poulet contient beaucoup de gras. Favorisez la cuisson au four plutôt que la friture.

Mettez des plats de poissons à votre menu deux fois par semaine. C'est une excellente source de protéines en plus d'être nourrissant et savoureux. Faites attention aux chapelures. Un coup d'œil rapide sur l'étiquette de l'emballage vous montrera qu'elles peuvent contenir jusqu'à 50% de calories provenant des matières grasses. Lisez donc attentivement les étiquettes. Le poisson frais constitue une excellente source de protéines et contient des niveaux acceptables de bon gras (pour parler en termes scientifiques, disons qu'il s'agit d'acides gras omega-3). Il n'est pas nécessaire que tout ce que vous mangez contienne moins de 30% de calories provenant de matières grasses. Alors, si vous optez pour le poisson pané, assurez-vous de faire une grande place aux légumes et aux céréales afin d'équilibrer le tout. Si vous tenez absolument à manger un hamburger avec des frites, allez-y, mais gardez à l'esprit qu'il faut que votre équilibre alimentaire de la semaine comprenne moins de 30% de calories provenant des matières grasses.

Les produits laitiers sont une excellente source de calcium et de protéines. Vous pouvez continuer de profiter de ces avantages tout en diminuant votre consommation de gras en adoptant le lait écrémé ou le lait 1%. Au début, vous remarquerez une différence au goût. Continuez pendant une semaine et vous ne voudrez plus revenir à votre ancien type de lait. Si vous essayez, vous aurez l'impression de boire du beurre. Vous ne comprendrez plus comment vous pouviez boire du lait 2% ou du lait entier.

Si vous avez des enfants, ils devraient continuer de boire du lait 2% ou entier. Leurs besoins en matières grasses sont très différents des nôtres. Les enfants boivent des tonnes de lait. Ainsi, en achetant votre propre lait séparément, vous n'aurez plus d'excuses pour ne pas en boire. Pour tous ceux qui ne veulent absolument pas changer de sorte de lait, voici une solution intéressante. On trouve aujourd'hui du lait à faible teneur en gras auquel on a ajouté des solides du lait. Ce procédé donne au lait la même texture que s'il s'agissait de lait entier ou 2% sans rajouter les matières grasses.

Je me suis toujours posé cette question : si l'on parle de lait 2%, qu'est-ce qui constitue les 98% restants? (J'espère que vous avez compris qu'il s'agit d'une blague, et mauvaise en plus!) Le lait est constitué à 100%... de lait. Le pourcentage indiqué sur l'emballage exprime tout simplement la teneur en matières grasses. 250 ml (une tasse) de lait entier contient environ 8,5 g de gras et 160 calories. En utilisant la règle de «multiplication par 9», on obtient 48% de calories provenant des matières grasses. Pour le lait 2%, la quantité de gras pour 250 ml est de 5 g, cette portion fournit au total 130 calories, dont 35%

proviennent des matières grasses. Quant à lui, le lait 1% fournit, toujours pour une portion de 250 ml, 2,5 g de gras et 100 calories dont 18% proviennent des matières grasses. Enfin, 250 ml de lait écrémé contiennent 90 calories et seulement des traces de matières grasses : donc, aucune calorie ne provient des matières grasses. Par conséquent, vous pouvez diminuer significativement votre consommation de matières grasses en adoptant le lait à faible teneur en gras.

On peut aussi se procurer des fromages à faible teneur en gras qui goûtent aussi bon que les fromages réguliers. Si vous mettez de la crème dans votre thé ou votre café, essayez le lait. Ne tournez pas votre choix du côté des succédanés poudreux au goût désagréable qui renferment souvent de grandes quantités des pires sortes de gras saturés. Là encore, lisez les étiquettes. Si vous buvez beaucoup de café, n'oubliez pas de prendre en considération les calories provenant du sucre et de tout autre substance que vous y ajoutez. Vous pouvez facilement couper du gras et des calories en utilisant des substituts hypocaloriques.

En résumé, lisez attentivement les étiquettes des produits que vous consommez, faites des choix judicieux et ne commencez pas à vous culpabiliser quand vous dégustez un bon camembert bien crémeux ou de la crème glacée Häagen Dazs. Si vous avez fait attention à votre alimentation toute la semaine, une petite friandise ne peut pas vous faire de tort.

Enfin, en tant que personnes désireuses d'améliorer leur style de vie, nous ne pouvons pas passer à côté de l'importance des liquides. Ils sont en effet une partie importante de la stratégie visant à contrôler la faim et à donner à notre corps ce dont il a besoin.

## Les Glucides

Les glucides constituent la principale source d'énergie de votre corps. Ils se présentent sous deux formes : simple ou complexe. Les glucides simples sont essentiellement des sucres que votre corps peut utiliser immédiatement. Ils proviennent des sucres raffinés, des jus de fruits, du miel, des sirops, etc. Ce type de glucides procure une énergie rapidement utilisable par le corps. Les glucides complexes sont constitués de chaînes de différents sucres rattachés entre eux pour former des molécules chimiques complexes qui entrent dans la composition de nombreux aliments, comme le pain, les pâtes alimentaires, les gâteaux, le riz et les céréales. Idéalement, votre régime alimentaire devrait vous permettre de tirer des de glucides de 50% à 60% des calories que vous consommez quotidiennement. Comme l'un de nos buts est de nous sentir satisfaits et rassasiés le plus longtemps possible après avoir manger, nous devons logiquement préférer les glucides complexes aux sucres simples, puisqu'ils occupent plus de volume par calorie.

Vous avez sûrement déjà entendu des athlètes parler du régime alimentaire particulièrement riche en glucides qu'ils adoptent avant une compétition. Il s'agit de manger principalement des mets contenant un haut taux de glucides - bien souvent des pâtes - au cours des journées qui précèdent l'événement sportif. Cela leur procure une source d'énergie de bonne qualité et régulière pendant une longue période de temps.

Les céréales constituent une bonne part du groupe des aliments riches en glucides. Elles fournissent à notre corps des glucides complexes, source d'énergie de bonne qualité. Le groupe alimentaire des pains et céréales comprend toutes les sortes de pains, les pâtes alimentaires, le riz, l'avoine, et les autres céréales. Le

Guide alimentaire canadien suggère d'en consommer de 5 à 12 portions par jour. Comme vous voyez, l'écart entre le minimum et le maximum est plutôt grand. Quand vous aurez déterminé vos propres besoins caloriques, vous aurez une meilleure idée du nombre de portions qui vous convient le mieux.

Les fruits et les légumes font aussi partie du groupe des aliments riches en glucides. Le Guide alimentaire suggère d'en consommer de 5 à 10 portions par jour. Ce large écart prend en considération les différents niveaux d'activité physique et les diverses grandeurs et grosseurs des individus. Si votre niveau d'activité est modéré et que vous essayez d'atteindre un niveau plus élevé, vous aurez probablement besoin de vous maintenir dans la partie supérieure de l'écart.

Les fruits et les légumes font figures de véritables sauveurs pour les personnes qui détestent les régimes. Il est très difficile de prendre du poids en mangeant des fruits et des légumes (mais ce n'est pas impossible). Vous devriez en manger abondamment lors de vos repas. Posez-vous la question suivante : quelle quantité de légumes ai-je mangé à mon dernier souper? Essayez de mettre sur la table toujours trois ou quatre sortes de légumes et rajoutez-en si vous êtes affamés! Les pommes de terre, les pois, le brocoli, les carottes, le chou-fleur, le chou, le zucchini, les tomates, le concombre, la laitue, les oignons... Voilà vos alliers! Apprenez à les aimer. Ayez toujours un panier rempli de pommes à la maison. Achetez des pêches, des cerises, des bananes, des oranges, des pamplemousses, du melon quand vous en trouvez. Si vous pouviez ajouter deux portions de fruits à votre régime quotidien, il y a de fortes chances pour que vous vous sentiez mieux, que vous ayez plus d'énergie, que vous mangiez moins entre les repas et que vous soyez moins affamés à l'heure des repas. Une portion de fruits à l'heure de la collation : voilà une excellente idée!

Notez toutefois que les avocats font partie des quelques fruits riches en matières grasses. Si vous les aimez, n'oubliez pas de les consommer avec modération.

Vous trouverez à la page suivante un tableau vous permettant de noter votre consommation de fruits et de légumes à chaque semaine. Essayez de prendre l'habitude, vous et votre famille, de faire entrer dans la composition de vos plats une grande variété de fruits et de légumes de toutes sortes.

Achetez à chaque semaine au moins 5 différents fruits et légumes inscrits au tableau de la page suivante. Notez votre consommation pendant un mois. Les légumes vert foncé contiennent de nombreux nutriments. Choisissez-les donc de préférence, ainsi que les légumes jaunes, tels les carottes. Les fruits frais vous permettront d'obtenir les vitamines dont vous avez besoin d'une manière qui permet à votre corps de les utiliser plus efficacement.

# Quelques Fruits et Légumes

Photocopiez cette page et cochez les fruits et légumes inscrits au fur et à mesure que vous en consommez. Répétez l'exercice à chaque mois. Essayez de prendre des fruits et des légumes du plus grand nombre de sources différentes possible.

| **Légumes** | **Fruits** |
|---|---|
| Pommes de terre | Pommes |
| Patates douces | Poires |
| Navet | Pêches |
| Carottes | Prunes |
| Cresson | Cassis |
| Zucchini | Cantaloup |
| Chou | Melon miel |
| Pois | Cerises |
| Maïs | Melon d'eau |
| Brocoli | Tomates |
| Asperges | Ananas |
| Choux de Bruxelles | Bleuets |
| Chou chinois | Oranges |
| Laitue | Dattes |
| Artichauts | Raisins |
| Fèves | Abricots |
| Oignons | Citron |
| Chou-fleur | Figues |
| Concombres | Mangues |
| Haricots | Bananes |
| Luzerne | Kiwis |
| Céleri | Fraises |
| Courges | Framboises |
| Champignons | Nectarines |
| Ail | Pamplemousse |
| Poireau | Tangerine |
| Radis | Mûres |

# Les Protéines

Le poisson, la volaille, la viande, les œufs et les légumineuses (haricots secs, pois, lentilles...) sont tous de bonnes sources de protéines, de fer et de vitamine B. Cependant, il ne s'agit pas de sources pures de protéines: le poisson, la volaille, la viande et les œufs contiennent aussi des matières grasses et les légumineuses, des glucides. Les protéines n'entrent pas seulement dans la formation et l'entretien de la masse musculaire; elles sont aussi importantes au bon fonctionnement du cerveau, à l'entretien des os et à bien d'autres fonctions corporelles. Les protéines aident le corps à se réparer à la suite de blessures ou de maladies. Malheureusement, à l'exception des légumineuses, la plupart des aliments riches en protéines contiennent aussi des matières grasses. L'excès de protéines absorbées lors des repas est converti en graisse et accumulé par le corps. Idéalement, ce groupe d'aliments devrait fournir de 15% à 20% du total des calories absorbées à chaque jour. Cette proportion est facile à atteindre pour la plupart des Nord-Américains. Il est plus difficile de s'en tenir aux limites supérieures suggérées, ce qui est pratiquement impossible sans l'aide du journal de bord des aliments consommés lors d'une semaine normale.

Vos portions d'aliments riches en protéines, comme la viande, la volaille ou le poisson, ne devraient jamais dépasser les dimensions d'un jeu de cartes, ce qui équivaut à une portion normale de protéines. Voilà certainement une très mauvaise nouvelle pour les carnivores impénitents qui lisent ces lignes. Ne vous en faites pas trop avec cela. Mangez beaucoup de légumes et prenez le temps de déguster votre viande. Considérez-la comme un condiment. «Assaisonnez» votre bouchée de légumes avec un peu de poulet, de porc ou de bœuf. Si vous êtes en bonne forme physique, vous pouvez toujours vous permettre de temps en temps un immense steak de brontosaure, en autant que vous soyez prêts à en payer le prix en faisant de l'exercice. En théorie, les gens actifs et en forme peuvent se permettre de manger tout ce qu'ils veulent - leurs choix ayant tendance à rester assez raisonnables - puisque leur niveau d'activité accru leur permet de brûler plus de calories.

Le Guide alimentaire canadien suggère de consommer de 2 à 3 portions de viandes et substituts par jour. Vous devriez varier vos sources de protéines d'une portion à l'autre. Cela peut signifier que vous ne mangiez de la viande que trois ou quatre fois par semaine. Vous pouvez compléter le tableau des protéines avec des poissons, de la volaille, des haricots, des œufs, du tofu et même du beurre d'arachides. Limitez cependant votre consommation d'œufs à un maximum de trois par semaine.

Certaines personnes deviennent expertes à contrôler leur consommation de matières grasses. Elles évitent de manger de la viande rouge, n'utilisent plus ni beurre ni margarine et se tiennent toujours loin des pâtisseries. Cependant, elles peuvent aller au restaurant et manger un poulet entier ou une livre de poisson frit. Ça n'a aucun sens! Le poisson et le poulet aussi contiennent des matières grasses. Ce sont de bonnes sources de protéines, mais ce ne sont pas les seules. Souvenez-vous : la grosseur d'un jeu de cartes.

Et maintenant, si les suggestions et les conseils dont je viens de vous faire part vous ont démoralisés, je veux que vous me promettiez tout de même une chose : suivez-les au moins pendant un mois. Expliquez votre programme à votre famille et essayez d'obtenir leur soutien. Choisissez un «légume officiel» pour chaque journée et demandez à tous les membres de la famille de suggérer des plats et des légumes différents. Doublez votre consommation de légumes que vous aimez et ajoutez-en d'autres à votre régime tous les jours. À ce rythme, je serais bien surpris que vous vouliez encore prendre à la fin du mois d'énormes portions de viande. C'est exactement comme avec l'exemple du lait entier. Une fois que vous avez adopté le lait 1% ou écrémé, il vous est très difficile de revenir à votre ancien choix. Je suis convaincu que vous trouverez les grandes portions de viande plutôt dégoûtantes lorsque votre corps se sera fait à ce nouveau type d'alimentation.

# Les Enfants

Les enfants ont souvent tendance à se goinfrer. Et il est d'ordinaire plus facile de céder à leurs caprices que de leur faire prendre de meilleures habitudes. Les enfants peuvent parfois essayer un nouvel aliment jusqu'à vingt fois avant d'apprendre à l'apprécier. Leurs papilles gustatives sont plus sensibles que celles des adultes : il faut donc préférablement leur présenter de nouveaux aliments très progressivement. Demandez-leur d'essayer vos nouvelles recettes. Je n'ai encore jamais vu de cas d'enfants qui soient morts de faim parce que leurs parents les forçaient à manger plus sainement. Ne vous battez pas avec eux. Continuez de mettre les aliments dans leur assiette afin qu'ils s'habituent à leur vue, même s'ils les ont refusés la première fois. La présence répétée des nouveaux aliments dans leur assiette aura raison de leur résistance. Incitez-les à essayer vos nouveaux plats et gardez en réserve un mets habituel et sain au cas où ils refuseraient votre proposition. Avant même que vous vous y attendiez, vos enfants applaudiront lorsque vous servirez des filets de sole à la sauce au citron. Ils demanderont des portions supplémentaires de salade et plus de yogourt sur leur pomme de terre au four. Mon fils de six ans a mangé du chou de Bruxelles pour la première fois à Noël, et il a adoré. Il a demandé qu'on en serve à son dîner d'anniversaire! Les enfants ne naissent pas goinfres; ils apprennent ce genre de comportements de leurs parents, comme vous teniez vos propres habitudes de vos parents aussi.

# Les Femmes

Les femmes ont des besoins alimentaires spécifiques qui peuvent être comblés habituellement à l'aide d'un régime alimentaire bien équilibré. Elles doivent s'assurer particulièrement qu'elles consomment assez de fer et de calcium. Les produits laitiers, les arêtes de poissons en conserve, les légumineuses et les noix aussi bien que les légumes vert foncé sont de bonnes sources de calcium. Si vous souffrez d'une intolérance au lactose et ne pouvez par conséquent pas consommer de produits laitiers, vous devriez discuter de ce problème avec un diététiste afin de vous assurer que vous consommez assez de calcium. Le calcium joue un rôle important dans la formation des os et dans la prévention de l'ostéoporose. Cette maladie rend progressivement les os plus fragiles et est souvent la cause de fractures chez les femmes âgées. L'ostéoporose peut frapper dès la trentaine, mais peut être contrôlée et résorbée à l'aide d'une alimentation appropriée et d'exercices. Les exercices avec poids et haltères sont particulièrement efficaces pour accroître la densité des os.

Les viandes maigres, la volaille, le poisson, les œufs, les céréales, les dattes, les prunes et les légumes vert foncé sont de bonnes sources de fer. Les femmes en ont particulièrement besoin pour prévenir l'anémie. Le fer entre dans la production des éléments de notre sang qui transportent l'oxygène. Une carence en fer peut amener une sensation d'épuisement général du fait que le corps ne reçoit pas tout l'oxygène dont il a besoin. Les femmes courent plus de risques de faire de l'anémie à cause du sang qu'elles perdent lors des menstruations et de leur consommation généralement moins grande de calories, comparée à celle des hommes. Il existe deux sortes de fer provenant de la nourriture. Le fer qui se trouve dans les aliments d'origine animale est le fer hémique. Il est déjà prêt à être absorbé par le corps. Le fer provenant des végétaux existe sous la forme non hémique. La vitamine

C favorise l'absorption de ce type de fer. Voilà pourquoi il est si important de boire un grand verre de jus d'orange avec son bol de céréales matinal ou de mettre de la sauce aux tomates sur des plats de pâtes alimentaires.

# Les Fibres Alimentaires

Les fibres alimentaires n'ont aucune valeur nutritive : elles passent à travers notre système digestif sans être digérées et par conséquent ne fournissent à notre corps aucune calorie. Elles agissent comme un «agent de remplissage» qui provoque une sensation de satiété. Et puisque les aliments riches en fibres sont généralement faibles en gras, on associe souvent un régime riche en fibres avec la perte de poids. Comme toujours, notre but est d'acquérir et de maintenir des habitudes alimentaires qui favorisent une alimentation équilibrée comprenant la proportion de fibres dont nous avons besoin. Maintenant, examinons les formes sous lesquelles les fibres alimentaires se présentent : les fibres solubles et les fibres non solubles.

Les fibres solubles se trouvent dans les agrumes, les pommes, les légumineuses, les pommes de terre et le son d'avoine. Les fibres solubles passent dans le sang et les sels biliaires s'y collent. Le corps doit alors prendre le cholestérol présent dans le sang et le convertir en sels biliaires afin d'en maintenir le niveau voulu. Ce processus provoque donc une baisse du taux de cholestérol dans le sang. Merveilleux, n'est-ce pas?

Les fibres non solubles sont présentes dans divers aliments, comme les céréales entières, le blé, aussi bien que dans les fruits et les légumes, particulièrement dans leur pelure. La préparation des aliments, que ce soit le blanchiment, le pelage ou le broyage, réduit cette couche externe de fibres non solubles. Idéalement, nous devons consommer nos aliments sous leur forme la plus naturelle possible. Ne pelez donc pas les pommes et les poires. Mangez toute la partie interne de l'orange, n'en consommez pas seulement le jus. Les pommes de terre au four et la pelure des fruits sont vos alliers, en autant que vous évitez les garnitures riches en matières grasses.

Les fibres non solubles absorbent l'excès d'eau présent dans le système digestif et forment ainsi une masse importante dans le conduit intestinal. Cela prévient la constipation et favorise la régularité de vos intestins. Vous vous doutiez sans doute que nous finirions par parler de régularité intestinale, non? Imaginez un instant que vous ayez mangé hier soir un délicieux hamburger parfaitement grillé sorti directement du barbecue. Votre hamburger est resté longtemps dans votre estomac avant de passer par vos intestins. Combien de temps voulez-vous garder ce bout de viande carbonisé potentiellement cancérigène dans votre côlon? Bien sûr, il était délicieux sur le coup, mais avez-vous vraiment besoin que ce morceau de charbon reste plus longtemps dans votre système digestif qu'il ne le faut? Les faits sont là : les gens provenant de cultures dont l'alimentation traditionnelle comprend de grandes sources de fibres sont moins sujets à développer un cancer du côlon. La prochaine fois que vous succomberez à l'envie de vous faire un hamburger, choisissez du bœuf maigre et ajoutez-y une tasse de son. Vous m'en remercierez le lendemain matin...

Pour jouer gagnant au jeu des fibres alimentaires, vous devez commencer par vous concentrer sur les aliments entiers. Un aliment entier n'a pas subi de transformation et se trouve dans l'état où la nature nous l'a donné. Malheureusement, un beigne est un aliment qui a subi de très nombreuses transformations et qui ne nous procure aucune fibre. D'un autre côté, une pomme ou un muffin au son faible en gras constituent de bonnes sources de fibres et de glucides, tout en étant soutenants. Par aliments préparés, j'entends les pains, les jus de fruits et les céréales raffinés qui contiennent beaucoup de calories et de matières grasses et ont peu de valeur nutritive, comme la plupart des pâtisseries commerciales, les jus en boîtes, ainsi que les croustilles et les barres de chocolat.

Si vous voulez augmenter votre consommation de fibres alimentaires, allez-y progressivement. Si vous mangez des céréales de son au déjeuner, des fèves au lard et du pain de blé entier au dîner, et du chili aux haricots rouges et à l'orge perlée au souper, votre conjoint ou conjointe pourrait bien signifier son mécontentement à l'heure d'aller au lit. Trop de fibres trop rapidement peut avoir pour résultat des douleurs abdominales et des flatulences. Ces inconvénients peuvent être grandement réduits en augmentant lentement la consommation de fibres alimentaires.

# Les Liquides

Notre corps a besoin de liquides pour fonctionner. Des études scientifiques montrent que le corps humain est constitué à 75% d'eau. C'est une nouvelle rafraîchissante, n'est-ce pas? Il est donc logique que nous nous efforcions de fournir à notre corps toute l'eau dont il a besoin. Une estimation modeste veut que nous buvions huit verres d'eau par jour. Et ça, c'est sans compter les périodes d'exercices! Il est difficile d'atteindre cet objectif si l'on compte uniquement sur les repas pour nous fournir toute cette eau. Donc, il est bon d'avoir toujours un verre d'eau sur sa table de travail et de veiller à toujours bien s'hydrater. Cela devient encore plus important si vous augmentez votre niveau d'activité physique. L'urine, les selles et la sueur sont les principaux moyens par lesquels notre corps peut éliminer les matières indésirables. Une urine saine devrait être relativement claire, inodore et abondante. Si vous avez un style de vie sain (et à plus forte raison si vous n'avez pas un style de vie sain), fournissez à votre corps ce dont il a besoin pour éliminer ses déchets : une grande quantité d'eau.

Les liquides jouent un rôle encore plus important lorsque l'on fait de l'exercice. En effet, notre corps perd environ un litre d'eau à l'heure lors de séances d'exercices. Alors, si vous prévoyez mener une activité soutenue pendant une bonne période de temps, vous devrez remplacer cette eau perdue ou vous courrez un sérieux risque de déshydratation.

# Les Suppléments Alimentaires

Il existe une importante industrie née de la demande en matière de suppléments alimentaires, ce qui comprend les vitamines, les minéraux et autres produits santé. La loi canadienne stipule que tout produit au sujet duquel on prétend des effets thérapeutiques doit se voir assigner par Santé Canada un numéro d'identification, désigné par l'abréviation anglaise DIN (Drug Identification Number). Cela garantit que le produit a effectivement la capacité de produire les effets indiqués sur l'étiquette, ainsi que l'observance de hauts critères de qualité lors de la fabrication du produit.

Les produits qui n'ont pas ces prétentions thérapeutiques peuvent être vendus comme suppléments alimentaires, c'est-à-dire, en somme, comme un aliment quelconque. Dans ces cas-là, Santé Canada ne considère pas qu'il existe assez de preuves pour affirmer que le produit en question peut produire les effets annoncés par l'étiquette, mais reconnaît aussi qu'il ne devrait pas causer de problèmes de santé si l'on suit la posologie indiquée. Un débat est ouvert de nos jours à savoir si les suppléments alimentaires doivent être considérés comme des aliments, des médicaments, ou encore s'il faut les mettre dans une classe à part. Cette question sera certainement réglée dans un avenir rapproché. D'ici là, les consommateurs doivent nager dans une grande confusion. Est-ce que ces produits procurent vraiment les effets annoncés? Leur qualité est-elle bonne? Quel est le dosage approprié à chaque individu?

Même la présence d'un numéro d'identification DIN sur un produit ne vous garantit pas son efficacité dans votre cas spécifique. Lors de leur fabrication, certains comprimés sont tellement compressés qu'ils peuvent ne jamais se dissoudre dans votre estomac. Il se peut que certains ingrédients actifs ne soient pas utilisés correctement par votre corps à cause de problèmes quelconques n'ayant rien à voir avec votre régime alimentaire, vos exercices physiques ou encore avec les suppléments eux-mêmes. Des maladies peuvent ralentir ou empêcher l'absorption de certains minéraux et vitamines. Il ne sert à rien de s'occuper soi-même de sa médication si l'on ne comprend pas vraiment ces relations complexes qui agissent sur notre organisme.

L'industrie des suppléments alimentaires met tout en œuvre pour que vous utilisiez ses produits durant toute votre vie. Si vous prenez quotidiennement quelques produits de différentes sortes, la dépense peut facilement atteindre un ou deux dollars par jour. Ce peut être un bon investissement ou une colossale perte d'argent. Comment le sauriez-vous?

C'est là un sujet où votre médecin et votre diététiste peuvent vous être d'une aide précieuse. Si votre profil personnalisé recommande l'usage de suppléments alimentaires, ces professionnels de la santé sont en mesure de vous aider à faire des choix judicieux basés sur vos propres besoins. On trouve mille bonnes choses pour lesquelles on peut dépenser son argent. Ne vous laissez pas ruiner par des produits qui pourraient ne rien vous apporter en fin de compte.

## L'Indice de Masse Corporelle

Nous avons déjà parlé des buts à atteindre, de limites représentant 30% de ceci et 40% de cela. Mais cela pourrait vous être fastidieux et même vous éloigner du but visé si vous ne compreniez pas bien ce dont nous parlons.

Pour commencer par le commencement, nous devons aborder le concept d'indice de masse corporelle (IMC). Ceci peut nous donner des informations sérieuses en ce qui concerne notre situation vis-à-vis de notre poids idéal et des risques pour la santé qu'une telle situation peut entraîner.

L'échelle de l'IMC est assez facile à utiliser. L'IMC donne pour la plupart des gens un point de base dans la quête de leur poids idéal. L'IMC n'est cependant pas fiable pour les femmes enceintes ou pour celles qui allaitent. Il est à noter de plus que cette échelle a été conçue pour les gens âgés de vingt à soixante-cinq ans.

Vous n'avez qu'à tracer une ligne partant de la mesure exprimant votre grandeur à la colonne A et traversant la mesure exprimant votre poids à la colonne B. Continuez en ligne droit jusqu'à ce que vous atteigniez la colonne C, où votre ligne traversera un des nombres qui y sont inscrits.

Voici la formule qui exprime votre IMC :

IMC = (poids en livres) ÷ (grandeur en pouces)$^2$ X 725

Les athlètes de haut niveau peuvent trouver un IMC qui ne semble pas convenir à leur situation. Cela est dû à ce que les muscles ont une masse plus élevée que la graisse et peuvent ainsi fausser le calcul. Maintenant, remarquez bien la section de l'échelle comprise entre le point supérieur (27) et le point inférieur (20) recommandés.

C'est là que se situent les ratios de poids les plus sains possibles. Notre objectif n'est pas de nager aveuglément dans cette portion de l'échelle, mais bien plutôt d'essayer de trouver notre propre poids idéal à l'intérieur de cette portion. Souvenez-vous qu'il s'agit là d'une échelle élaborée à partir de résultats recueillis auprès de milliers d'individus. Nous voulons savoir ce qui est bon dans notre cas spécifique. Si vous avez des questions au sujet de l'IMC que l'échelle vous désigne comme acceptable dans votre cas, consultez votre médecin ou votre diététiste. En utilisant correctement cette échelle, vous découvrirez si vous devez gagner ou perdre du poids, ou encore si vous avez déjà atteint votre poids idéal. Si l'IMC vous suggère une grande prise ou perte de poids et que cela ne vous semble pas adéquat, n'hésitez pas à en discuter avec un professionnel de la santé. Vous pouvez aussi passer un test visant à déterminer la proportion de graisse dans votre corps et la quantité à perdre, le cas échéant. Ce test est assez facile à obtenir auprès de centres de conditionnement physique. Donc, en résumé, notre objectif se situe dans un écart de quelques livres à peine.

De combien de calories notre corps a-t-il besoin pour maintenir son poids idéal? Eh bien, cela dépend de notre niveau d'activité physique.

# L'INDICE DE MASSE CORPORELLE

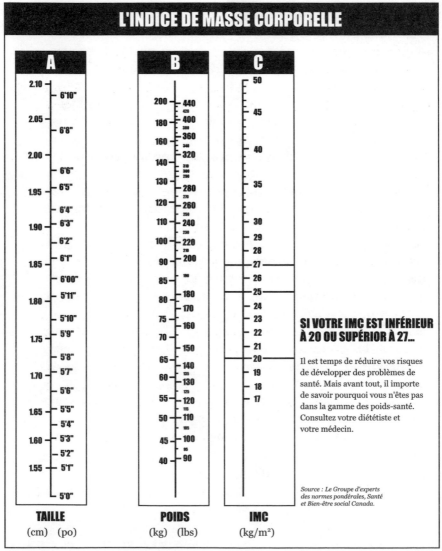

| A | | B | | C |
|---|---|---|---|---|
| **TAILLE** | | **POIDS** | | **IMC** |
| (cm) | (po) | (kg) | (lbs) | (kg/m²) |

## SI VOTRE IMC EST INFÉRIEUR À 20 OU SUPÉRIOR À 27...

Il est temps de réduire vos risques de développer des problèmes de santé. Mais avant tout, il importe de savoir pourquoi vous n'êtes pas dans la gamme des poids-santé. Consultez votre diététiste et votre médecin.

Source : Le Groupe d'experts des normes pondérales, Santé et Bien-être social Canada.

*Les diététistes du Canada, reproduction autorisée.*

## COMMENT TROUVER VOTRE IMC

1. Faites un X sur l'échelle A vis-à-vis votre taille.
2. Faites un X sur l'échelle B vis-à-vis votre poids actuel.
3. Avec une règle, tracez une ligne reliant les deux X.
4. Prolongez cette ligne jusque sur l'échelle C pour trouver votre IMC.

## PAR EXEMPLE :

- Si François mesure 1.80 m (5'11") et pèse 85 kg (188 lbs), son IMC est de 26 environ.
- Si Louise mesure 1.60 m (5'4") et pèse 60 kg (132 lbs), son IMC est de 23 environ.

**Moins de 20 :** Un IMC inférieur à 20 pourrait être associé à des problèmes de santé chez certaines personnes. Il serait peut-être bon

de consulter votre diététiste et votre médecin.
**De 20 à 25 :** Cet intervaile d'IMC est associé au plus faible risque de maladie chez la majorité des gens. Si vous êtes dans cet intervaile, restez-y!
**De 25 à 27 :** Un IMC aitué dans cet intervaile est parfois associé à des problèmes de santé chez certaines personnes. La prudence est donc de mise dans vos

**Plus de 27 :** Un IMC supérieur à 27 est associé à des risques plus élevés de problèmes de santé tels que les maladies du coeur, l'hypertension et le diabète. Il serait peut-être bon de consulter votre diététiste et vous et votre médecin.

## Les Différents Niveaux D'Activité Physique

Vous pouvez calculer grosso modo le nombre de calories que vous brûlez pendant une activité aérobique soutenue, telle le cyclisme, la natation, la course à pied, etc., en utilisant la formule suivante :

**9 calories à la minute**

Il s'agit là d'une estimation assez large qui s'applique à n'importe quelle activité physique soutenue.

## Le Style de vie Sédentaire

Avouons-le : nous ne nous dépensons pas beaucoup de nos jours lors de nos activités quotidiennes. Nous nous assoyons devant notre bureau, nous conduisons la voiture pour aller au travail et ne pratiquons pas d'exercices physiques réguliers. Dans un tel cas, nous pouvons multiplier notre poids idéal (en livres) par 12 pour trouver à peu près le nombre de calories dont nous avons besoin quotidiennement. Ainsi, si votre poids idéal est de 150 livres, vous aurez besoin de 1 650 à 1 800 calories par jour pour maintenir ce poids sans faire d'exercice. Si votre poids idéal se situe à 180 livres, votre consommation quotidienne de calories peut s'élever à 1 980-2 160 calories.

## Le Style de vie Modéré

Si vous faites pomper votre cœur trois fois la semaine au cours d'une activité aérobique quelconque, dix minutes à chaque séance, et que vous prenez part en plus à des activités récréatives, votre multiplicateur sera 13.

## Le Style de vie Actif

Si vous prenez part à des activités récréatives et que vous faites des séances d'exercices aérobiques trois fois la semaine, à raison de trente minutes à chaque fois, votre multiplicateur sera 14.

## Le Style de vie Très Actif

Si vous faites au moins quarante-cinq minutes d'activité aérobique (course à pied, natation, cyclisme) au moins 4 ou 5 fois la semaine, votre multiplicateur sera 14 ou 15. Vous pouvez également vous classer dans cette catégorie si vous travaillez dans un domaine qui sollicite beaucoup la force physique, comme la construction, le travail en usine ou tout travail qui nécessite des mouvements, déplacements et soulèvements de charges répétés.

## Le Style de vie Super Actif

Enfin, si vous êtes une personne super active, tant dans vos activités récréatives qu'à votre travail, votre multiplicateur sera 16 ou plus, dépendamment de vos besoins. Les personnes classées dans cette catégorie peuvent être des travailleurs de la construction qui jouent au golf la fin de semaine ou des courriers à bicyclette qui courent le marathon. Dans cette catégorie, une personne pesant 150 livres consomme 900 calories de plus par jour pour maintenir son poids qu'une personne sédentaire de mêmes proportions, ce qui équivaut à une seconde portion de dessert à chaque jour ou un gros repas de plus. De telles personnes se préoccupent rarement au sujet de la prise de poids; au contraire, leur préoccupation est de ne pas en perdre.

Un triathlète qui fait de la compétition et qui chaque semaine court 112 km, nage 5 km et parcourt 240 km à bicyclette brûle environ 4 000 calories par jour. S'il pèse 150 livres, cela lui fait un multiplicateur de 26-27!

Pour vous assurer que votre multiplicateur est adéquat, vous devez faire une bonne estimation de votre niveau d'activité de base, sans prendre en compte vos séances d'exercices physiques proprement dits. Par exemple, une femme au foyer pesant 60 kg (130 livres) qui s'occupe toute la journée des enfants, du ménage, les courses et du jardinage peut facilement brûler 100 calories à l'heure à ce rythme. Cette femme aura besoin de 1 560 calories par jour (12 X 130 livres) pour maintenir son poids et d'un surplus de 100 calories pour chaque heure d'activité, ce qui peut bien ajouter 700 ou 800 calories par jour à ses besoins calorifiques sans qu'elle suive un programme d'exercices.

À l'inverse, si son mari pèse 81 kg (180 livres), qu'il prend sa voiture pour aller travailler, qu'il reste assis à son bureau toute la journée, revient du travail en voiture, regarde la télé cinq soirs par semaine et joue au squash deux fois la semaine, il prendra du poids s'il mange exactement ce que son épouse mange tous les jours. Ses besoins calorifiques quotidiens sont de 2 160 calories (180 livres X 12), auxquelles s'ajoutent peut-être 100 autres calories pour jour pour ses séances de squash. Il n'a donc besoin que de 2 260 calories par jour pour maintenir son poids, alors que les besoins calorifiques de son épouse se situent entre 2 260 et 2 360 calories par jour, selon son niveau d'activité.

L'une des manières de calculer vos besoins calorifiques supplémentaires est d'estimer le nombre de miles que vous marchez dans une journée d'activité normale. Parcourir 1 mile (1,6 km) prend environ vingt minutes. Si vous restez debout sur vos pieds, ça ne compte pas! La position debout fait très peu augmenter la demande énergétique de notre corps. Notre femme au foyer de tout à l'heure peut, si elle est vraiment occupée, parcourir l'équivalent d'un mile par heure. N'entrent pas dans ce calcul les moments consacrés à la télé, aux repas, à la lecture, à la sieste, aux trajets en voiture, aux discussions au téléphone, etc. Donc, vous pouvez vous faire une bonne idée de vos besoins calorifiques supplémentaires en allouant 100 calories par heure d'activité.

Pour trouver vos propres besoins calorifiques, vous n'avez qu'à multiplier votre poids idéal tel que suggéré par l'échelle d'IMC par le multiplicateur qui reflète votre style de vie. Prenez note que si vous désirez perdre du poids, il vous faut consommer moins de calories que vous n'en avez besoin en réalité.

Poids (en livres) _____ X Multiplicateur _____ = _____ calories par jour

Maintenant que nous avons un bon aperçu du nombre de calories qu'il nous faut consommer quotidiennement, nous devons transposer ces données pour trouver nos besoins spécifiques en matières grasses, en protéines et en glucides. Souvenez-vous des proportions idéales de la provenance des calories selon chaque groupe : moins de 30% provenant des matières grasses, de 15% à 20% provenant des protéines et de 50% à 60% provenant des glucides. Si l'on prend pour exemple une personne pesant 68 kg (150 livres) qui mène un style de vie sédentaire, ses besoins calorifiques se situent à 1 650 calories par jour. De ce nombre, 495 ou moins devraient provenir des matières grasses, de 250 à 330, des protéines, et de 825 à 990, des glucides.

Faites le calcul en prenant en compte vos propres données et inscrivez les résultats :

Matières grasses _____ Protéines _____ Glucides _____

La question que vous vous posez peut-être en ce moment est : «Mais comment je suis supposé savoir le nombre de calories présentes dans mes aliments, sans parler de savoir si elles proviennent des matières grasses, des protéines ou des glucides???»

La réponse n'est pas aussi compliquée qu'on pourrait le croire. Vous devez tout d'abord connaître quelques notions de base :

Un gramme de matières grasses équivaut à 9 calories;
Un gramme de glucides équivaut à 4 calories;
Un gramme de protéines équivaut à 4 calories.

Notez bien que les protéines se trouvent rarement sous une forme «pure»; elles sont souvent mélangées avec des matières grasses et des glucides. Mais ne vous en faites pas : si vous faites attention aux matières grasses, que vous leur préférez les glucides et que vous avez une alimentation variée qui comprend des protéines (viande, légumineuses, œufs...), vous ne devriez pas avoir de problèmes. En cas de doute, un diététiste pourra vous donner un bon coup de main à ce sujet.

Vous avez sûrement remarqué qu'un gramme de matières grasses fournit plus du double des calories qui se trouvent dans un gramme de glucides. Cela signifie que vous pouvez manger deux fois plus de glucides que de matières grasses en consommant la même quantité de calories. Ce fait est particulièrement intéressant pour ceux qui considèrent que suivre une diète, c'est se laisser mourir de faim. Dans le tableau que nous avons vu plus haut, nous apprenions que huit friandises Kisses de Hershey fournissent environ 200 calories. Un bagel fournit aussi 200 calories. La différence, c'est que les Kisses contiennent 12g de matières grasses, alors qu'un bagel n'en contient que 1,5g. Il faudrait manger 8 bagels pour obtenir l'équivalent des matières grasses contenues dans 8 Kisses. Lequel des deux est le plus soutenant? Les règles d'une alimentation équilibrée recommandent de manger de préférence le bagel et un ou deux Kisses, tout en s'assurant d'avoir de trois à cinq séances d'exercices par semaine.

Le grand défi dans tout cela est d'essayer de maintenir notre consommation moyenne de calories provenant des matières grasses sous la barre des 30%. Voilà une règle d'or selon laquelle nous devrions nous promettre de vivre. Les étiquettes présentes sur les emballages de la majorité des aliments vous donneront leur composition. Ces données se basent le plus souvent sur une portion type.

Prenons pour exemple un sandwich au thon composé de deux tranches de pain, d'une cuillère à table de mayonnaise légère et d'une demi-canne de thon.

| Aliments | Calories | Matières grasses | % des calories provenant des matières grasses |
|---|---|---|---|
| Pain | 172 | 2,2g | 11,5% |
| Mayonnaise | 35 | 2,9g | 74,5% |
| Thon | 50 | 0,45g | 8,0% |
| Sandwich | 257 | 5,55g | 19,43% |

D'après cet exemple, nous voyons que ce sandwich rencontre notre critère en matière de calories provenant des matières grasses puisqu'elles se maintiennent sous la barre des 30%. Nous pouvons voir aussi que la mayonnaise légère se compose aux trois quarts de matières grasses même si l'étiquette spécifie qu'elle contient «50% moins de gras»! Mais il ne s'agit pas là d'un problème majeur, en autant qu'on ne commence pas à mettre de la mayonnaise légère dans tous les plats sous prétexte que c'est un bon substitut à la mayonnaise régulière.

Il existe une autre mention dont nous devons nous méfier : celle qui stipule qu'un produit est «sans gras». Si un produit alimentaire ne contient pas de gras, c'est qu'il est constitué de protéines ou de glucide. Il y a de fortes probabilités pour que ce soit des glucides. Et savez-vous comment votre corps accumule le surplus de calories provenant des glucides? Eh oui, sous forme de graisse qui vient se déposer sur votre ventre, vos hanches et vos fesses! Ainsi, lorsque vous dévorez un sac complet de bretzels «sans gras», vous ingurgitez malgré tout quelque 300 calories dont vous n'aviez probablement pas besoin.

Votre corps garde sous la main assez de glucides pour vous permettre de faire un exercice d'intensité moyenne pendant quatre-vingt-dix minutes (on parle d'exercice d'intensité moyenne lorsque l'on peut encore parler avec aisance en le faisant). Ces glucides sont accumulés sous forme de glycogènes, une substance que le corps peut facilement convertir en carburant. Après quatre-vingt-dix minutes d'exercice, le corps commence à chercher d'autres sources d'énergie. Ce peut être des calories superflues converties en graisse, ou encore vous pouvez «faire le plein» en mangeant, ce qui restaure les réserves de glycogènes et fait en sorte que votre corps cesse de brûler ses graisses. L'un des aspects surprenants de l'exercice physique est qu'il fait augmenter le métabolisme général du corps. Vous ne brûlez pas seulement des calories pendant les séances d'exercice, mais aussi pendant le reste de la journée, à un niveau supérieur à celui que vous atteindriez si vous n'aviez pas fait d'exercice. C'est en partie la raison pour laquelle les gens qui sont en bonne forme physique semblent pouvoir manger beaucoup sans que cela ne paraisse.

J'ai dit un peu plus haut que les personnes qui jouissent d'une bonne forme physique se préoccupent rarement de leur poids. Ce sont les gens en mauvaise forme que ce sujet tracasse. Les femmes en particulier ont tendance à prêter une très grande attention à leur poids, bien souvent sans raison valable. Si vous vous munissez de connaissances justes et sérieuses, vous serez moins portés à vous préoccuper des fluctuations quotidiennes de votre pèse-personne. Vous serez trop occupés à vous concentrer sur des objectifs à long terme concernant votre alimentation et votre programme d'exercices.

Nous avons abordé la notion d'indice de masse corporelle (IMC) pour que vous acquériez quelques notions de base. Ce ne devrait toutefois pas être votre but premier que de suivre à la lettre les indications de cette échelle. Vous devez vous concentrer sur votre alimentation (moins de 30% des calories provenant des matières grasses) et mener un style de vie actif soutenu par un apport calorique adéquat.

Toutes ces choses que les gens qui ne sont pas en forme tournent en véritables obsessions - le poids, la taille des robes, celle des pantalons, celle des ceintures, le niveau d'énergie, les maux de dos, etc. -ne vous inquièteront plus au fur et à mesure que vous améliorerez votre condition physique. Vous savez, il se peut que vous perdiez quelques centimètres de tour de taille et que vous vous sentiez mieux dans votre peau. Il se peut aussi que vous ne perdiez pas beaucoup de poids et même que vous en preniez. Comment est-ce possible? Souvenez-vous, les muscles sont plus lourds, plus denses que la graisse. En améliorant votre condition physique, vous perdrez de la graisse et gagnerez du muscle. Au bout du compte, il se peut que votre poids ne diminue pas beaucoup. Cependant, vous serez en meilleure forme, moins «enveloppés», et vous aurez bien meilleure mine!

# Du Temps Pour Vous-Mêmes

«En résumé, vous êtes tous en train de me dire que vous n'avez pas de temps dans vos horaires chargés à consacrer à des séances d'exercices physiques, c'est bien ça?», demande France.

«Exact!», répondent les autres, avec un air de défi.

«Comprenez-moi bien : je ne vous demande pas de trouver du temps pour un sport ou un exercice en particulier. Nous devons simplement trouver quatre ou cinq périodes d'une ou deux heures dans notre semaine qui pourraient être consacrées à l'exercice physique», dit France.

«Deux heures!!!», se plaint Vincent. «Tu veux me tuer, ou quoi!?»

«Ce laps de temps-là tient compte du temps que l'on prend pour se changer, s'étirer, faire l'exercice en question, récupérer, prendre sa douche et retourner à ses occupations quotidiennes», répond France, un peu sur la défensive. Elle sait qu'il s'agit là de l'aspect le plus ardu d'un style de vie plus sain, mais elle ne veut pas pour autant que ses amis se fassent de fausses représentations de ce qu'elle leur demande d'entreprendre.

«Bon, moi, je peux trouver le temps nécessaire, mais il faut que je reste à la maison pour m'occuper de Sara», dit Julie. «J'ai une heure chaque après-midi où je fais une petite sieste, mais je dois dire que j'apprécie vraiment beaucoup ces quelques moments tranquilles, seule avec moi-même.»

«À quelle autre place dans ton horaire pourrais-tu aussi prendre un peu de temps, Julie?», lui demande France.

«Je suppose que mon temps de lecture et d'écoute d'émissions de télé doit bien faire au total une heure ou deux en soirée, mais encore là, je pense que c'est du temps précieux passé avec Robert et que ça m'aide à me détendre.»

«D'autres périodes libres?», questionne France.

«Eh bien, j'ai certainement six heures de repos durant la fin de semaine, mais encore une fois, je considère que c'est ma récompense pour une dure semaine», plaide Julie.

«Bien. Résumons maintenant», continue France. «Tu as sept heures pour la sieste, de sept à quatorze heures pour lire ou regarder la télé et six heures la fin de semaine. Au total, ça fait entre vingt et vingt-sept heures chaque semaine. Vois-tu comment tu pourrais te réserver quatre ou cinq séances d'une ou deux heures d'exercices physiques par semaine si tu en faisais une priorité dans ta vie?»

«Oui, je suppose», répond Julie, un peu mécontente.

«Super! Maintenant, j'aimerais que tu écrives ces périodes libres sur une feuille et que tu t'engages envers toi-même à consacrer quatre ou cinq périodes de temps par semaine à des exercices physiques», dit France, triomphalement. «Et ça me fera plaisir de te prêter mon porte-bébé si tu veux. Comme ça, tu pourras trouver encore plus de temps pour faire de l'exercice en emmenant Sara avec toi!»

Julie regarde France comme s'il s'agissait d'une martienne.

«C'est enrageant, hein, de la voir détruire un argument

émotif et normal à grands coups de logique et de bon sens?», dit Vincent.

«Ouais. Enthousiaste à ce point-là, ça fait peur», marmonne Julie.

«Je présume que tu veux que l'on fasse tous la même chose dès maintenant», dit Robert.

France sait très bien que c'est un très lourd engagement que ses amis s'apprêtent à prendre pour eux-mêmes. Mais comme elle ne veut pas que tout cela leur paraisse trop difficile, elle reste stoïque devant leurs propos sarcastiques.

«Voici vos tableaux de planification du temps», leur dit-elle. «Mais si vous avez un calendrier à votre lieu de travail, inscrivez-y vos périodes d'exercices physiques afin qu'elles deviennent une partie intégrante de votre routine. Fixez-vous des objectifs et promettez-vous des récompenses si vous les atteignez. Ça vous aidera à vous motiver même quand vous n'aurez pas le goût de faire de l'exercice. Enfin, si vous ne voulez absolument pas faire d'exercices, promettez-vous d'essayer tout de même comme vous pourrez, et faites de l'exercice pendant cinq minutes. Parfois, ce genre de petites séances peut représenter le mieux que vous pouvez faire dans votre semaine.»

Julie, Robert et Vincent ont tous l'impression angoissante de se lancer dans l'inconnu. Ils sont heureux d'entreprendre tout cela ensemble. La peur du ridicule envers leurs amis les aide à prendre la résolution de se lancer vers la prochaine étape, même s'ils savent bien au fond qu'ils font cela pour eux-mêmes, après tout.

**84**

# Planification des Périodes D'Exercices

**Tableau de planification des périodes d'exercices**

Jour _____     Récompense _____

| Heures | Activités |
|--------|-----------|
| Minuit | |
| 6h | |
| 7h | |
| 8h | |
| 9h | |
| 10h | |
| 11h | |
| Midi | |
| 13h | |
| 14h | |
| 15h | |
| 16h | |
| 17h | |
| 18h | |
| 19h | |
| 20h | |
| 21h | |
| 22h | |
| 23h | |

(Vous pouvez photocopier cette page.)

**Connaissances de base au**
**Sujet des Exercices Physiques**

Un bon programme d'exercices devrait être personnalisé, c'est-à-dire qu'il doit être approprié à vos besoins et tenir compte de votre condition physique au commencement de votre démarche. Cela semble être l'évidence même, mais bien souvent, les gens se lancent dans des programmes d'exercices pour lesquels leur condition physique ne les prépare pas du tout.

Pour rendre les choses simples, disons que l'amélioration de la condition physique est un processus qui consiste à astreindre le corps à diverses tensions à l'aide d'exercices, à lui donner les moyens de se remettre grâce à une alimentation adéquate et à des périodes de repos, puis à le soumettre de nouveau aux tensions provoquées par l'exercice physique. Ce jeu des tensions permet aux muscles de se développer et à la graisse de disparaître. Et comme les muscles sont plus lourds que la graisse, il est possible de maintenir ou même d'augmenter un peu son poids tout en jouissant d'une bien meilleure forme physique due à un style de vie plus sain.

### Exercices ♥ Alimentation ♥ Repos

Le repos est une partie importante d'un programme d'exercices sérieux. Cela signifie que vous pouvez vous permettre pendant certaines périodes de jouer les pantouflards sans aucun remord. On pourrait même parler de moments «vertueux», puisque vous faites exactement ce que vous avez à faire!

Un programme d'exercices régulier facilitera votre sommeil. L'exercice physique vous permet de mieux faire face au stress. Il vous donne l'énergie nécessaire pour être plus alerte tout au long de votre journée de travail et pour tenir la forme! Les gens qui ne sont pas en forme ne peuvent pas s'imaginer comment font ceux qui le sont pour accomplir tout ce qu'ils font dans une journée. Comment un athlète peut-il travailler toute la journée, revenir à la maison, se faire à souper, mettre les enfants au lit, puis aller courir 8 km? Ils voient le problème à l'envers. C'est justement parce qu'il court 8 km qu'il peut accomplir toutes ces autres tâches. C'est l'exercice qui lui donne ce surplus d'énergie! Quand vous commencerez votre programme d'exercices, vous ne croirez pas que c'est la pure vérité. Pendant les deux ou trois premières semaines, vous serez morts de fatigue après vos exercices et vous ne croirez pas que la situation puisse s'améliorer un jour. Et pourtant, ça marche! Votre emploi vous semblait-il facile lors des trois semaines qui ont suivi votre embauche? Est-ce que les trois semaines qui suivent la naissance d'un nouvel enfant sont faciles à vivre? Non, et c'est la même chose avec un nouveau programme d'exercices. Cependant, comme pour la plupart des choses qui comptent dans la vie, le sentiment initial de frustrations laisse finalement la place à une formidable sensation de satisfaction dès l'instant où vous commencez à réaliser vos rêves.

Il semble y avoir quelque chose de magique avec ces trois semaines ou vingt et un jours. Si vous pouvez travailler consciencieusement à une activité quelconque pendant vingt et un jours, elle fera partie de vos habitudes. C'est pourquoi il est si important quand vous commencez votre programme d'exercices que vous vous engagiez à le suivre pendant au moins trois semaines. Vous devez vous fixer des buts réalistes. Pour certains, ce peut être d'essayer de courir pendant cinq minutes sans s'arrêter, alors que d'autres voudront courir pendant quarante-cinq minutes sans pause. Dans les deux cas, ces personnes auront réussi si elles atteignent leur objectif respectif. Si vous ne parvenez pas à réaliser vos buts, vous devez vous demander s'ils sont réalistes. S'ils ne le sont pas, faites les ajustements nécessaires et réessayez. Votre habilité à fixer vos objectifs se développera avec le temps. Si vos buts étaient réalistes et que vous n'êtes pas parvenus à les réaliser, donnez-vous de bons coups de pied dans le derrière et forcez-vous à les atteindre.

La vie doit continuer. L'annexe 7 vous permettra de tenir le journal de bord de vos vingt et un premiers jours d'entraînement, afin de vous aider à rester concentrés sur vos objectifs.

Un but réaliste devrait répondre aux critères suivants :

- Est-ce que ce but est bien identifié?
- Êtes-vous capables de réaliser ce but?
- Y a-t-il une façon de mesurer vos succès?
- Est-ce que ce but vous aidera à améliorer votre forme physique ou vos habitudes alimentaires?
- Pouvez-vous tenir un journal de bord de vos succès au fil du temps?

Appliquons maintenant ces critères au but suivant :

«Je veux faire de l'exercice plus souvent!»

- Oui, le but est identifié.
- Oui, vous avez la capacité de le réaliser.
- Il n'existe aucune manière de mesurer vos succès.
- Cela peut améliorer votre condition physique.
- Non, vous ne pouvez pas en tenir un journal de bord.

C'est en fait un piètre but, puisqu'il ne répond pas à tous les critères. Un meilleur but pourrait être, par exemple : «Je veux faire de l'exercice quatre fois par semaine pendant les neuf prochains mois en m'inscrivant à une classe d'exercices aérobiques auprès d'un gym, d'un YMCA ou du service d'activités sportives d'une université ou d'un cégep.» Vous devriez ensuite aller de l'avant en inscrivant sur votre calendrier toutes vos séances d'aérobie et en affichant sur la porte du frigo un tableau où vous pourrez cocher les séances auxquelles vous avez assisté. Vous pourriez aussi vous donner de petites récompenses lorsque vous atteignez votre but.

# Le Tabagisme

En ce qui concerne les quelques individus qui admettent encore être fumeurs, je crois que ce serait de la négligence que de ne pas leur lancer quelques remarques acerbes au sujet de l'exercice physique. Le tabagisme cause le cancer, l'emphysème, la mauvaise haleine, les «doigts jaunes», en plus de donner une horrible odeur aux vêtements. Il y a de bonnes chances pour que vous sachiez tout cela depuis longtemps et que malgré tout, vous ne vouliez pas abandonner votre mauvaise habitude. La raison principale qui pousse les fumeurs à continuer de fumer est leur dépendance à la nicotine. Vous aurez besoin d'aide pour vaincre cette dépendance. Parlez-en à votre médecin de famille. Il pourra vous suggérer certains programmes visant à réduire ou éliminer ce besoin de nicotine.

L'autre grande difficulté que doit affronter un fumeur qui désire arrêter de fumer, ce sont les relations sociales. Vous avez des amis ou d'autres proches qui fument. Cet aspect social du problème est à peu près aussi dur à vaincre que la dépendance physique à la cigarette. Votre engagement personnel à mener un style de vie plus sain peut vous servir d'excuse pour résister à la tentation lors de vos rencontres sociales. Un programme complet visant à arrêter de fumer embrasse tous les aspects du problème de la dépendance et vous donne des trucs pour mener à bien votre changement d'habitudes.

L'un des meilleurs moyens de motivation pour arrêter de fumer est l'exercice régulier. Fumer fait rétrécir les vaisseaux sanguins. Cela fait entrer aussi du monoxyde de carbone dans la circulation sanguine : le monoxyde se colle ensuite à l'hémoglobine, prenant ainsi une partie de la place réservée à l'oxygène, ce qui rend plus difficile l'alimentation des muscles en oxygène durant l'exercice physique. Fumer provoque aussi la congestion des poumons, ce qui vous fait sentir essoufflés après un simple effort physique. Au fur et à mesure que vous progresserez vers un style de vie sain, vous sentirez que votre besoin de fumer s'atténue. En voici les raisons :

1) Il est trop difficile de fumer et de faire de l'exercice en même temps.
2) Aucun de vos amis préoccupés par leur santé ne fume.
3) Vous dépensez tout l'argent de vos cigarettes sur des souliers de course.
4) Vous serez assez préoccupés par votre santé pour en prendre soin.

Il est difficile d'arrêter de fumer. Un engagement personnel sérieux pour un meilleur style de vie vous aidera à rester sur la bonne voie. Allez-y à votre rythme, mais continuez toujours votre cheminement vers une vie plus saine.

# L'Alcool

Les mouvements de tempérance seront déçus d'apprendre qu'une consommation modérée d'alcool n'est pas une chose nécessairement mauvaise dans un régime de vie équilibré.

Une portion d'alcool, que ce soit une bouteille de bière, un verre de vin ou un petit verre de spiritueux, contient environ 150 calories. Il s'agit à vrai dire de calories vides, puisqu'elles sont essentiellement présentes sous forme d'alcool. Ce qui signifie que vous retirez de tout cela bien peu des autres nutriments que vous vous attendriez à retrouver dans presque n'importe quelle autre portion d'aliment contenant 150 calories. Certaines études suggèrent qu'un verre de vin rouge par jour pourrait contribuer à prévenir les maladies cardiaques. Bien que ces études soient dignes d'intérêt, elles ne sont pas pour autant concluantes. Nous savons cependant que l'abus d'alcool peut causer de sérieux troubles physiques et sociaux.

L'une des grandes règles d'un régime de vie sain doit être de ne jamais conduire en état d'ébriété. Ne laissez pas vos amis prendre la voiture en état d'ébriété et ne faites pas l'autruche face à ce que pourront faire vos enfants lorsqu'ils auront l'âge de conduire. La perte d'une vie ou les séquelles graves dues à un accident causé par l'alcool au volant sont tout simplement inadmissibles. Vous devriez toujours avoir en tête un plan qui puisse vous servir en cas de besoin à vous ramener à la maison, ou à ramener vos parents et vos amis chez eux après une occasion spéciale.

La consommation d'alcool comprend un aspect plutôt ironique dont peut attester toute personne ayant déjà souffert de la gueule de bois : plus on boit, plus on a soif. Votre corps perd une partie de son eau dans le processus d'élimination de l'alcool par le foie. Pensez donc à boire beaucoup d'eau avant, pendant et après la consommation d'alcool.

L'avantage d'un régime de vie équilibré en ce qui concerne la consommation d'alcool, c'est que vous pouvez vous permettre de déguster occasionnellement un verre - ou plusieurs... - sans risquer d'accumuler graduellement un surplus de calories causé par votre style de vie parce que vous savez rester réalistes quant à votre consommation régulière de calories et que vous savez comment brûler ces calories supplémentaires.

Si vous voulez diminuer votre consommation d'alcool, participez à des compétitions telles les marathons, les courses à vélo, le triathlon, ou tout autre activité du genre. L'entraînement que vous devrez suivre pour atteindre votre but vous forcera à rester dans le droit chemin. Il est très difficile de participer à une longue course un dimanche matin si l'on a fêté pendant la nuit du samedi. Vous ne pouvez pas courir avec les guépards si vous huez avec les hiboux.

## Le Rythme Cardiaque

Afin de vous aider à poursuivre votre marche vers un style de vie plus actif, nous devons maintenant acquérir quelques notions plus sophistiquées et déterminer votre rythme cardiaque maximal (RCM). Pour ce faire, il existe des méthodes simples. Cependant, je vous les déconseille fortement puisqu'elles ne sont pas très précises, et il s'agit ici d'un domaine qui demande une grande précision.

La méthode high-tech que je vous suggère est celle du moniteur cardiaque. Il s'agit d'un appareil rattaché à votre poitrine qui envoie des informations à un module à écran qui vous donne votre rythme cardiaque exact pour un point donné dans le temps. Le prix d'un tel appareil varie de 100$ à 1 000$. Si vous possédez déjà une montre-chronomètre, comme la Timex Ironman ou quelque chose dans le genre, à votre place, je n'achèterais pas d'autres instruments, à moins que vous n'aimiez les ceintures et les bruits bizarres qui viennent avec ce genre d'appareils. Vous trouverez à l'annexe 5 un aperçu comparatif des fonctions et avantages de différents moniteurs cardiaques.

Le moniteur cardiaque rend un service très intéressant aux gens qui font une activité physique dans le but premier de brûler des calories : il vous apprend à courir lentement! Courir lentement... n'est-ce pas un peu contradictoire? Je suis certain que de toute façon quelques-uns d'entre vous pensent que toute forme de course à pied est une hérésie. En fait, un moniteur cardiaque peut vous apprendre à marcher lentement, à nager lentement, à skier lentement, ou à faire lentement tout autre activité physique qui soit votre principal exercice aérobique. La raison pour laquelle vous devez apprendre à vous entraîner à un rythme lent est qu'il vous faut maximiser le temps où vous vous maintenez dans la «zone de perte de poids». Vous pourriez vous entraîner aussi fort que vous le pouvez pendant trente minutes, trois fois par semaine et brûler moins de calories que votre voisin qui joue au golf trois fois la semaine. Comment est-ce possible? Ça ne semble pas juste, n'est-ce pas? En fait, notre golfeur ne force pas nécessairement plus que vous ne le faites, mais il le fait plus longtemps. Si brûler des calories est votre but premier, dans le présent exemple, le golf l'emporte sur la course à pied. Comme pour beaucoup d'autres choses dans la vie, il vaut mieux travailler intelligemment que travailler fort. Voilà pourquoi il vous faut trouver un exercice aérobique que vous pouvez faire sans interruption jusqu'à une heure durant ou plus, de trois à cinq fois la semaine.

Si vous êtes en train de lire ceci et que vous attendez que les points importants de cette section vous sautent à la figure, revenez en arrière et relisez le paragraphe précédent. Laissez-moi souligner ceci. Vous serez appelés bientôt à choisir une activité aérobique qui vous permette de vous maintenir dans la zone de perte de poids pendant de trois à cinq heures par semaine. C'est un but à long terme. Un abonnement à un gym ne fait pas nécessairement l'affaire, à moins que vous ne puissiez rester sur les appareils développant la résistance cardiovasculaire pendant quarante-cinq minutes ou une heure. Certains gyms imposent une limite de vingt minutes par appareil. Vous avez à peine le temps de vous échauffer! En vingt minutes, vous avez le temps de faire un entraînement cardiovasculaire qui vous permet d'atteindre votre zone aérobique, mais ce n'est pas suffisant en ce qui concerne la zone de perte de poids, à moins que vous ayez déjà atteint le poids désiré. Pensez au jogging, à la natation ou inscrivez-vous à une classe d'aérobie pour vous assurer de brûler suffisamment de graisse.

En vingt minutes d'exercice aérobique, vous pouvez brûler environ de 200 à 300 calories. En trois heures, vous brûlerez de 1 800 à 2 700 calories et en cinq heures, de 3 000 à 4 500. Cependant, soyons bien clairs : brûler de la graisse n'équivaut pas à perdre de la graisse. Si vous voulez perdre de la graisse, il faut qu'il y ait un déficit calorifique quotidien, ce qui force le corps à se tourner vers les graisses pour s'assurer une source fiable d'énergie.

Que pouvons-nous apprendre au sujet de notre corps à l'aide d'un moniteur cardiaque? L'une des informations les plus importantes est votre rythme cardiaque maximal (RCM). Votre RCM se calcule plutôt facilement en dix ou quinze minutes. Toutefois, voici un sujet où vous devrez utiliser votre jugement et possiblement consulter un médecin pour voir si vous être en assez bonne forme physique pour faire un exercice visant à déterminer votre RCM. Si vous ne menez pas un style de vie actif - séances de trente minutes d'activités aérobiques, trois fois la semaine -, ne faites pas ce test. Même si vous êtes en bonne forme, vous devriez demander à quelqu'un de vous assister, juste au cas.

Un exercice physique visant à déterminer votre RCM peut être répété à quelques reprises pendant des jours différents. Ce genre de test est difficile à mener, puisqu'il vous oblige à donner tout ce dont vous êtes capable en un seul coup. Vous ne devez pas vous brûler en mi-parcours; vous devez vous donner à fond pendant tout l'exercice et conserver tout au long l'énergie nécessaire pour vous défoncer.

Donc, si vous êtes en bonne condition physique - séances de trente minutes, trois fois la semaine -, vous devez d'abord vous échauffer pendant huit à dix minutes ajoutant à votre routine trois ou quatre courts sprints. Une fois échauffés, courez aussi fort que vous le pouvez pendant au moins trois minutes, de préférence en montant une pente modérée. Ce test est fortement influencé par l'âge et le niveau d'entraînement, mais il devrait vous donner une mesure assez juste de votre RCM. La limite supérieure du RCM est clairement identifiable, mais elle descend avec l'âge. Lorsque vous sentez que vous ne pouvez vraiment pas aller plus vite ou plus loin - c'est cet aspect du test qui le rend potentiellement dangereux -, regardez l'écran de votre moniteur. Le nombre indiqué est votre RCM. Le test est terminé. Bravo!

Il se peut que vous découvriez une zone instable à votre RCM pendant le test. Vous devez atteindre le stade où votre RCM ne peut plus augmenter. La raison pour laquelle vous devez être bien échauffés avant le test est qu'il faut s'assurer que votre cœur pompe le sang à un rythme élevé et qu'il est prêt à soutenir un exercice anaérobique. Si vous habitez près d'une piste d'athlétisme, voici un autre moyen de calculer votre RCM : faites deux tours de piste (800 m) en courant à un rythme rapide et soutenu, mais confortable, puis courez aussi fort que vous le pouvez à la fin du second tour. Vérifiez que votre RCM a bel et bien atteint son point maximal.

Il existe aussi une manière très simple de calculer votre RCM et qui consiste à soustraire votre âge de 220. Le résultat peut cependant être faussé par un écart aussi grand que vingt battements à la minute. Voilà pourquoi je recommande l'usage d'un moniteur.

Grâce à votre RCM, vous pouvez vous fixer plusieurs points de référence très utiles. Les voici :

| | |
|---|---|
| Zone de perte de poids | 60%-70% du RCM |
| Zone aérobique | 70%-80% du RCM |
| Zone anaérobique | 80%-90% du RCM |

Au cours de notre programme d'exercices, nous devons essayer de nous maintenir à certains moments dans la zone aérobique, mais d'abord et avant tout dans la zone de perte de poids, jusqu'à ce que nous ayons atteint notre poids désiré. Si votre RCM est de 170, vous devrez vous maintenir dans la zone située entre 102 et 119 battements à la minute. C'est probablement la zone dans laquelle vos battements cardiaques se maintiennent lorsque vous marchez d'un bon pas, que vous jouez au golf ou que vous montez des escaliers. Pour une personne obèse, marcher et faire ses courses peuvent être des activités qui poussent son cœur à se maintenir dans la zone de perte de poids. Le point important à retenir ici, c'est qu'il ne s'agit pas d'activités physiques surhumaines. Elles sont tout à fait à la portée de personnes jouissant d'une santé acceptable. Lorsque vous utilisez un moniteur cardiaque et que vous voyez que vous avez atteint la zone de perte de poids, l'écran du moniteur vous permet de vous y maintenir plus longtemps, et c'est exactement ce que vous voulez!

Pour vous donner une idée de ce qu'est la zone aérobique, disons qu'il s'agit de la zone que vous atteignez lorsque vous faites du jogging et que vous pouvez respirer facilement par la bouche. Cette zone est excellente pour votre cœur. Idéalement, vous devriez vous maintenir dans cette zone de vingt à trente minutes, trois ou quatre fois par semaine. Quant à la zone anaérobique, vous vous y trouvez lorsque vous devez forcer désespérément pour pomper l'air à travers votre bouche grande ouverte. Ce genre d'exercice ne peut se prolonger que sur une période de temps relativement courte, bien que l'amélioration de la forme physique permette d'allonger cette période. Les activités physiques anaérobiques sont utilisées pour entraîner le corps à donner de meilleures performances dans un laps de temps restreint et pour brûler plus de calories.

L'entraînement par intervalles consiste à faire des activités anaérobiques par petites périodes entrecoupées d'activités moins exigentes ou de moments de repos. Par exemple, on peut courir un tour de piste à toute vitesse, suivi d'un tour plus lent ou, si l'on fait du jogging sur une route, deux poteaux de téléphone à fond, puis un poteau en marchant. Ce genre d'entraînement peut vous aider à travailler plus fort lors de vos séances d'exercices - nager plus rapidement, courir plus rapidement... -, ce qui a pour conséquence de vous permettre de brûler plus de calories pour un même laps de temps donné. Si vous sentez le besoin de vous adonner à ce genre d'entraînement, vous trouverez plus d'informations à ce sujet dans le livre de Sally Edwards, *The Heart Rate Monitor Book*, qui figure sur la liste de l'annexe 3.

Maintenant, prenez le temps de calculer votre RCM, votre zone de perte de poids et votre zone aérobique.

RCM : _____ battements à la minutes.

Zone de perte de poids : de _____ battements/minute à _____ battements/minute.

Zone aérobique : de _____ battements/minute à _____ battements/minute.

Comme je l'ai dit plus haut dans ce chapitre, un moniteur cardiaque vous permet de courir lentement. L'un des effets encourageants que cet appareil procure également est qu'il vous incite à courir plus longtemps en vous donnant un feedback de vos performances. Le jour où j'ai acheté mon moniteur, je n'avais encore jamais couru plus de dix kilomètres. J'en ai couru vingt ce jour-là. J'avais réellement besoin du biofeedback que me donnait l'appareil pour apprendre à ralentir mon allure. Jusque-là, j'avais couru aussi fort que j'avais pu pendant trente minutes, trois ou quatre fois par semaine. Mes capacités cardiovasculaires étaient excellentes, mais ce type d'exercice ne me permettait pas de brûler assez de calories pour compenser l'apport calorifique de mon alimentation.

Nous avons donc besoin du biofeedback donné par un moniteur cardiaque pour apprendre à ralentir notre allure dans le but de maintenir notre rythme plus longtemps. Le biofeedback ajouté à une alimentation sensée nous donne le contrôle sur notre corps. Et ce contrôle nous procure un régime de vie plus sain. Un moniteur cardiaque peut constituer le seul produit important que vous achetiez jamais pour votre santé.

# Quelques Programmes D'Exercices

C'est maintenant le temps de vous inscrire à l'école. Quelle niveau sera le vôtre? Le primaire, le secondaire ou encore le post-secondaire?

Bien sûr, j'ai mes propres opinions et ce livre s'en trouve profondément imprégné, je m'en confesse. Ma principale activité aérobique est la course à pied. En voici les raisons :

- on peut courir n'importe où, n'importe quand;
- pas besoin d'installations ou de conditions particulières (piscine, bicyclette, neige, etc.);
- la course est l'une des meilleures façons de brûler beaucoup de calories dans une courte période de temps;
- il existe un grand nombre d'associations de coureurs, que ce soit au niveau local, national ou international. Ceci est très important pour les gens d'affaires qui voyagent beaucoup.

Si vous n'aimez pas la course à pied, ne vous en faites pas. Les programmes qui suivent peuvent très facilement s'adapter à votre sport préféré. Vous n'avez qu'à changer les mots «marcher», «faire du jogging», ou «courir» par des mots appropriés à votre activité préférée. (N.B. : «Manger» ne peut être considéré comme une activité convenable!) Ce pourrait être la natation, le cyclisme, le ski de fond, l'aviron, ou tout autre activité qui force vos gros muscles à bouger et qui fait augmenter votre rythme cardiovasculaire.

## Le Primaire

Cette classe s'adresse à ceux qui ont mené jusqu'ici un style de vie sédentaire, sans exercice régulier.

# Quelques Programmes D'Exercices

Vous bénéficierez au plus haut point des quelques changements mineurs que vous apporterez à votre style de vie. Lisez ce livre attentivement, consultez votre médecin de famille et prévenez les blessures en achetant de bonnes chaussures de course (référez-vous à l'annexe 2). Quand vous aurez accompli ces étapes, commencez ce programme d'exercices à raison de trois à cinq séances par semaine, une ou deux séances par jour maximum :

1. étirez-vous pendant dix minutes (voir l'annexe 1);
2. marchez d'un bon pas pendant cinq minutes (vous devriez bien sentir l'effort que vous faites, tout en étant capables de parler normalement et de respirer par le nez);
3. augmentez le rythme vers la marche rapide ou le jogging lent pendant deux minutes. (Vous ne pourrez plus parler aussi facilement et devrez probablement respirer par la bouche);
4. revenez à la marche pendant cinq minutes;
5. répétez les trois étapes précédentes trois ou quatre fois;
6. étirez-vous pendant dix minutes.

Remarquez bien que vous n'avez pas eu à arrêter de marcher pour reprendre votre souffle! C'est un concept physiologique et psychologique important que vous devez comprendre. Lorsque vous couriez en respirant à pleins poumons, vous étiez dans la zone aérobique, et lorsque vous êtes revenu à la marche, vous avez atteint la zone de perte de poids. Félicitations!

Si à un moment donné vous sentez des douleurs ou des élancements dans vos muscles, diminuez le rythme. Une fois de retour à la maison, frottez doucement la région douloureuse avec de la glace pendant deux ou trois minutes, attendez ensuite une minute, puis répétez la procédure trois ou quatre fois. Si vous êtes dérangés par de fortes douleurs musculaires, n'hésitez pas à consulter un spécialiste.

Prenez de deux à cinq semaines, ou plus si vous en avez besoin, avant de sauter à la prochaine étape.

## Le Secondaire

Cette classe s'adresse à ceux qui ont mené jusqu'ici un style de vie modéré et qui désirent améliorer leur forme physique :

1) étirez-vous pendant dix minutes (voir l'annexe 1);
2) marchez d'un bon pas pendant deux minutes (vous devriez sentir l'effort, mais être encore capables de parler normalement et de respirer par le nez);
3) augmentez le rythme vers le jogging lent pendant cinq minutes. (Vous ne pourrez pas parler aussi facilement et aurez probablement à respirer par la bouche);
4) revenez à la marche pendant deux minutes;
5) répétez les trois étapes précédentes trois ou quatre fois;
6) étirez-vous pendant dix minutes.

Lisez les notes de la section précédente («Le primaire») concernant les zones aérobique et de perte de poids. Votre but sera de faire jusqu'à trente minutes de jogging en vous maintenant dans la zone aérobique. Prenez votre temps pour vous rendre à ce but : ce n'est pas une course!

## Le Post-Secondaire

Cette classe s'adresse à ceux qui mènent déjà une style de vie actif et qui veulent augmenter encore leur niveau d'activité physique.

À ce niveau, vous devriez être capables de courir sans arrêt pendant trente minutes ou plus, trois fois par

semaine. Bien que vous deviez sûrement faire de grands
efforts pour atteindre ce niveau, il se peut qu'il ne soit
pas suffisant pour brûler les calories dues à votre style de
vie; je veux dire par là toutes ces calories que vous
consommez en surplus de celles dont vous avez vraiment
besoin pour maintenir votre poids idéal, mais que vous
pouvez difficilement éviter à cause du style de vie que
vous aimez et trouvez confortable. Cela peut représenter
1 000 calories supplémentaires par semaine. Ces calories
peuvent provenir de deux bières prises le vendredi et le
samedi, et d'une portion supplémentaire de dessert le
dimanche et le mercredi. Ce n'est pas exactement ce
qu'on pourrait appeler «la grosse vie sale», mais c'est
suffisant pour provoquer une prise de poids si vous ne
compensez pas ces excès dus à votre style de vie par des
exercices physiques.

C'est une réalité un peu déprimante, mais la course et la
marche ne permettent de brûler environ que 100 calories
par mile (1,6 km), la natation, 360 calories par mile, et le
cyclisme, 40 calories par mile. Ce n'est donc pas très
réaliste d'espérer perdre du poids en courant trente
minutes, trois fois la semaine. Il s'agit seulement d'un
entraînement de base pour améliorer ses facultés
cardiovasculaires. Cela renforce le cœur, mais, si vous
avez du poids à perdre, il y a peu de chances pour que
cela diminue vos risques de souffrir d'une maladie reliée
à l'embonpoint, comme un cancer ou le diabète. Pour
bénéficier de tous les avantages d'un régime de vie sain,
vous devez contrôler votre poids et le maintenir dans les
limites du poids santé qui vous est propre.

Plusieurs personnes cultivent une aversion face à la
course à pied et aux autres activités aérobiques due à
leurs mauvaises expériences passées. Cette réaction est
légitime. Il faut simplement trier les faits et les mythes
qui découlent de ces expériences. Détestez-vous la course
à pied à cause :

1) de l'épouvantable nausée que vous ressentiez après avoir couru le 400 mètre dans un cours d'éducation physique, à treize ans?
2) de vos genoux meurtris par le hockey, le football, le baseball...?
3) de claquages subis quelques semaines après avoir commencer un programme régulier de course?
4) des points de côté récurrents?

Vous pouvez passer par-dessus la plupart de ces mauvaises expériences si vous avez une volonté de fer de vous mettre au travail. Suivez à votre rythme les programmes exposés plus haut. Si vous ressentez des douleurs suite à votre entraînement, parlez-en à un professionnel de la santé. Ce n'est pas nécessairement votre médecin de famille. Ce peut être un entraîneur particulier, un chiropraticien, un massothérapeute, un physiothérapeute, un ostéopathe ou un médecin sportif. Vous remarquerez probablement que les spécialistes qui vous conseilleront le mieux seront ceux qui partagent vos intérêts pour votre sport préféré, que ce soit la course à pied, la natation, ou quelque autre sport.

Les claquages et les points de côté sont le lot de beaucoup de coureurs débutants. Ces deux genres de problèmes sont pénibles, mais ils constituent également une réaction normale envers une nouvelle activité aérobique et peuvent se régler facilement.

Les claquages sont des douleurs dues à des muscles tendus dont vous ne vous étiez pas servi aussi vigoureusement depuis longtemps. Ils peuvent êtres prévenus par des étirements adéquats précédant l'exercice physique. Cessez de courir si vous sentez les premiers élancements et retournez à la maison pour les calmer avec de la glace. Beaucoup d'athlètes tiennent toujours dans leur congélateur des cubes de glace prêts, ou encore ils font geler de l'eau dans des verres en papier qu'ils n'ont ensuite qu'à peler pour libérer la glace. Pour calmer une blessure avec de la glace, il faut frotter doucement la partie endolorie avec de la glace nue ou emballée pendant deux ou trois minutes pour ensuite arrêter et attendre deux ou trois autres minutes. Vous répétez cette routine plusieurs fois pendant de vingt à trente minutes. Cela calmera rapidement la douleur. Après avoir bien gelé votre blessure, prenez un bon bain chaud. Vous devrez probablement attendre jusqu'à la guérison complète du claquage avant de reprendre votre entraînement. Si la guérison prend plus que quelques jours, consultez immédiatement un professionnel de la santé. L'important, c'est que cet incident ne vous serve pas de prétexte pour arrêter de courir ou de pratiquer tout autre activité aérobique. Qu'est-ce que ça aurait été si vous aviez cessé de faire de la bicyclette quand vous étiez enfants parce que vous étiez tombés quelques fois? À votre travail, laissez-vous tout tomber si un défi se pointe? Non! Remettez-vous et reprenez votre entraînement. Beaucoup de coureurs débutants subissent ce genre de blessure commune et, la plupart du temps, en guérissent rapidement.

Les points de côté représentent un autre trouble facile à régler et qui est commun à ceux qui recommencent un entraînement aérobique. Ce terme désigne une douleur intense située dans les flancs de l'abdomen et qui est provoquée par l'exercice physique. Il s'agit habituellement d'une crampe du diaphragme causée par une insuffisance de l'irrigation sanguine de ce muscle durant l'exercice. Ce n'est pas une sensation agréable. Certains chanceux ne l'ont jamais expérimentée. Si vous avez déjà ressenti ce genre de douleur, vous savez de quoi je parle. Lorsque vous sentez qu'un point de côté est en train de se développer, ralentissez la cadence, n'arrêtez pas. Concentrez-vous sur votre respiration. Inspirez profondément et expirez jusqu'au bout de votre souffle. Voici un truc qui semble bien fonctionner : pressez le point douloureux avec vos mains pendant que vous courez et toussez en même temps que vous poussez avec vos mains. Répétez cette procédure de deux à cinq fois; vous devriez sentir une amélioration. Si cela ne marche pas, arrêtez-vous et attendez que la douleur disparaisse. Si le point de côté persiste malgré tout, vous souffrez probablement d'une appendicite : courez à la maison aussi vite que vous le pouvez! (C'est une blague! Une appendicite se fait sentir plus bas dans l'abdomen, à droite.) Le point de côté est un trouble passager qui disparaît tout seul au bout d'un moment. Sa présence indique que vous êtes sur la bonne voie. Aussi douloureux que cela puisse être... réjouissez-vous!

Assez parlé de course à pied. Il se peut que ce sport ne vous dise absolument rien qui vaille : ne vous en faites pas. Il existe d'autres activités aérobiques, et souvenez-vous qu'il y a plein d'athlètes dilettantes un peu partout, moi inclus. Les coureurs de compétition peuvent courir le mile en cinq minutes, et ce sur une distance de vingt-six miles. Je ne pourrais pas courir un seul mile en cinq minutes, même si ma vie en dépendait. Cependant, je peux courir un certain nombre de miles consécutifs à la vitesse d'un mile en neuf minutes, et quand je me sens particulièrement bien, je peux même parfois pousser jusqu'à une allure d'un mile toutes les sept minutes. La seule chose que j'aie en commun avec les coureurs olympiques, c'est ma passion pour cette sensation de m'envoler par mes propres moyens et le désir d'être le mieux que je puisse être. Si le mieux que vous puissiez réaliser est un simple mile toutes les dix ou douze minutes, qu'est-ce que ça peut faire? Pour qui faites-vous tout cela, après tout? Pour vous-mêmes, j'espère, sûrement pas pour l'opinion que les autres peuvent avoir de vous.

La marche rapide joue dans les limites d'un mile toutes les douze ou quatorze minutes. C'est un genre d'exercice

idéal pour bon nombre de gens. Votre dépense calorifique
sera à peu près la même, que vous marchiez, courriez ou
rampiez sur une distance donnée. Pour plusieurs, la
marche rapide représente une bonne solution de
remplacement moins dangereuse que la course à pied. Il
ne s'agit pas de marche ordinaire. La marche rapide
s'appuie sur une technique spéciale qui s'enseigne dans
des clubs de santé et par des entraîneurs particuliers.
Cette activité physique utilise les muscles robustes de
vos bras, de vos jambes, de vos hanches et de vos
épaules.

Peu importe le genre d'activité aérobique que vous
choisissez pour vous mettre en forme. Choisissez-en une,
deux, ou trois que vous pratiquerez régulièrement.
L'important est que vous puissiez utiliser les principaux
muscles de votre corps (dans les jambes, les bras...) de
façon soutenue pendant une bonne période de temps.
Vos séances d'entraînement devraient durer au moins
entre quarante-cinq minutes et une heure. Si cela vous
semble trop long et ennuyant, allez-y progressivement,
écoutez de la musique avec un baladeur durant
l'exercice, faites-vous une routine d'entraînement et
regardez la télé pendant que vous la suivez, mais, enfin,
faites-le parce que c'est du temps que vous devez
absolument utiliser pour brûler des calories.

# L'Heure du Dîner et les Repas de Restauration Rapide

Julie et France se sont donné rendez-vous pour prendre un café ensemble chez France et Vincent.

«Alors, comment ça se passe avec la planification de vos repas, Julie?»

«Eh bien, on a eu beaucoup de plaisir à essayer de nouvelles affaires. On s'est acheté deux nouveaux livres de recettes qui proposent des plats faibles en gras. Y'en a qui sont pas mauvais du tout, tu sais!»

«Je suis contente que ça aille si bien. Y'a eu des problèmes pour l'un de vous deux?», demande France.

«Moi, ça va, merci. En fait, disons que j'aime bien la planification des menus, mais Robert trouve encore ça difficile de bien manger le midi. Il doit souvent dîner avec des clients ou des collègues de travail et ils vont toujours dans des restaurants de restauration rapide. Il dit que ça lui laisse pas beaucoup de choix. En plus, avec son gabarit, il dit qu'il a souvent faim.»

«Je vais l'appeler ce soir», dit France. «Les dîners, c'est son point faible. Y'a pourtant tellement de choix santé un peu partout. Je crois sincèrement que tout ça, c'est simplement une question de penser à ce qu'on veut manger avant de commander et de prendre des menus à faible teneur en gras. Prends par exemple les restaurants de restauration rapide. Tout le monde prend pour acquis que, par définition, c'est mauvais pour la santé, ou encore que si c'est bon pour la santé, ça ne peut pas être soutenant. Je vais te montrer un tableau qui fait la liste de repas composés à partir des menus des grandes chaînes de restauration rapide et qui sont délicieux, nutritifs et très soutenants.»

France montre à Julie le tableau suivant :

# L'Heure du Dîner et les Repas de Restauration Rapide

## Repas de restauration rapides

| Restaurants | Repas | Calories | Grammes de matières grasses | % cal. provenant des matières gr. |
|---|---|---|---|---|
| McDonald's* | Salade du jardin | 22 | (Traces) | (Traces) |
| | Vinaigrette | 30 | 1 | 30% |
| | 2 hamburgers | 512 | 17,8 | 31% |
| | Cola diète moyen | 2 | 0 | 0% |
| Total du repas | | 566 | 18,8 | 29,9% |
| Wendy's* | Pomme de terre au four | 309 | 0,3 | Moins de 1% |
| | Petit chili | 213 | 6,6 | 27,8% |
| | Salade d'accompagnement -sans fromage | 67 | 0,1 | 1% |
| | Vinaigrette française | 70 | 0,2 | 2,5% |
| | Cola diète | 1 | 0 | 0% |
| Total du repas | | 660 | 7,2 | 9,8% |
| | Sandwich poulet grillé | 311 | 7,7 | 22% |
| | Petite salade césar | 95 | 3,3 | 31% |
| | Cola diète | 1 | 0 | 0% |
| | Petit «Frosty» | 333 | 8,4 | 22,7% |
| Total du repas | | 740 | 19,4 | 23,6% |
| Mr Submarine* | Sous-marin végé 12" | 462 | 10 | 19,5% |
| | Sous-marin dinde 12" | 620 | 20 | 29% |
| | Sous-marin jambon 12" | 634 | 19 | 27% |
| A & W* | Sandwich au poulet | 344 | 10,8 | 28,2% |
| | Salade assaisonnée | 53,6 | 0,6 | 10% |
| | Vinaigrette hypocalorique | 17 | 1,0 | 53% |
| | Racinette diète | 1,5 | (Traces) | 0% |
| Total du repas | | 416 | 12,4 | 26,8% |
| Pizza Hut* | Spaghetti marinara | 490 | 1 | 1,8% |
| | Pointe de pan pizza | 250 | 4 | 14,4% |
| | Pointe de pizza à croûte farcie | 500 | 10 | 18% |

*Toutes ces informations nutritionnelles sont tirées de documents fournis par les diverses compagnies en novembre 1997. Pour répondre à la demande des consommateurs en matière de repas hypocaloriques, les compagnies de restauration-minute vont certainement augmenter le nombre de menus de ce type. Tous les noms de compagnies inscrits ici sont des marques déposées.

Vous pouvez voir d'après ce tableau que la pizza à croûte farcie contient le double des calories d'une pan pizza. Il y a de fortes possibilités pour que vous mangiez autant de pointes de pizza à croûte farcie et de pointes de pan pizza. Si vous vous rendez à quatre pointes de pizza à croûte farcie, votre repas pourrait bien atteindre plus de 2 000 calories. Et vous vous souvenez comment le corps accumule calories superflues?...

«C'est vraiment super», s'exclame Julie. «Je veux que Robert voie ce tableau-là!»

«Vincent le trouve très utile», ajoute France. «Son menu préféré maintenant, c'est deux pommes de terre au four avec une petite portion de chili quand il va chez Wendy's. Il trouve cela soutement et ce menu a une excellente valeur nutritive. Y'a quand même un petit inconvénient avec sa passion pour le chili...»

«Tu m'en diras tant!», réplique Julie. «Un véritable ouragan, hein? Comment les hommes peuvent-ils contenir autant de gaz?»

«Ça doit être le chromosome Y», répond France. «Ça explique souvent plusieurs de leurs comportements antisociaux. Toutefois, certains aspects d'une alimentation saine peuvent causer des problèmes pour certaines personnes. Le passage soudain à une alimentation riche en fibres, qui peut se composer de légumineuses, qui sont riches en protéines aussi, et de légumes comme le chou, le brocoli et le chou-fleur, peut provoquer une formation de gaz intestinaux. C'est dû aux sucres contenus dans ces aliments qui sont digérés non pas dans l'estomac, mais dans les intestins. Avec le temps, le corps s'habitue à ces aliments, mais au début, ça peut être un peu douloureux, embarrassant et même désagréable pour la maisonnée!»

«Tu nous suggères quelque chose?», demande Julie.

«Bien, y'a un excellent produit vendu en pharmacie et qui s'appelle "Beano". Cela aide à digérer les sucres qui causent les gaz avant qu'ils atteignent les intestins, ce qui arrête la production de gaz. Après quelques temps, la plupart des gens développent une certaine tolérance à ces aliments et n'ont pas besoin d'utiliser "Beano" à long terme.»

«Je vais en acheter en retournant à la maison!», s'exclame Julie, en pouffant de rire. «France, il y a une chose dont je devrais te parler. J'ai des fringales incontrôlables la nuit. Je sais que c'est fou après tous les efforts qu'on doit faire pour améliorer notre style de vie, mais je peux pas m'arrêter.»

«Cela arrive souvent, Julie. Les collations, maintenant, font partie de ta routine quotidienne, avec ton programme d'exercices et toutes tes autres corvées. Tu ne devrais pas laisser passer trois heures sans manger pour garder ton niveau d'énergie élevé. Mets à ton horaire une collation au milieu de l'avant-midi, une autre au milieu de l'après-midi, et un petit quelque chose plus tard dans la soirée, si tu veux. Les collations prises dans le jour devraient être constituées d'aliments sains, comme une portion de fruits ou, pour nous, les femmes, un verre de lait ou un morceau de fromage maigre avec quelques craquelins. Nous devons prendre nos mesures pour consommer assez de calcium tous les jours. Les femmes ont besoin d'environ 700mg à 1 000mg de calcium par jour. Un verre de lait, une tasse de yogourt ou une portion de fromage fournissent chacun environ 300mg de calcium. Le soir, il faut absolument casser l'habitude des collations «pour le plaisir des collations» et planifier ce que tu manges. Tu pourrais par exemple décider de prendre ton dessert après 20h, quand Sara est couchée ou alors tu décides à l'avance de ta collation. C'est une bonne idée aussi de préparer la fin de semaine des bâtonnets de céleri et de carottes et d'autres collations faibles en gras aussi. Une de mes préférées, c'est la salade de chou. Je pourrais en manger un grand bol et ingurgiter du coup seulement une cinquantaine de calories!»

«Quelque fois, tu me fais vraiment peur, tu sais, France», dit Julie, mi-souriante, mi-sérieuse. «On est pas encore parvenus à ton niveau, mais on continue tout de même.»

«Plusieurs mangeurs compulsifs ont de sérieux

problèmes, comme des états dépressifs ou d'autres troubles qui n'ont rien à voir avec la faim. Les gens qui ont ce genre de problème ont besoin de l'aide d'un diététiste pour trouver des façons de contrer leurs crises de grignotage.»

«Je ne crois pas que ce soit mon problème, mais merci tout de même pour les conseils et le soutien, France. Robert et moi, on apprécie vraiment ton aide.»

# Le Germe du Doute

Vincent et Robert font un peu de jogging après leur partie de squash. (De toute façon, ils dégoulinaient déjà de sueur, alors pourquoi ne pas en profiter pour brûler encore un peu de calories?)

«Vincent, si ça continue, on va pouvoir t'exhiber dans une foire en t'appelant "L'incroyable homme qui fond"!», plaisante Robert. «Je te le dis, je crois qu'il te reste seulement trois mentons, maintenant.»

«Toi, espèce de gros tapon trop bien payé! Ça te dérange pas qu'on augmente le rythme un peu?», lance Vincent, avec un air de défi.

«Pas tout de suite, je veux te demander quelque chose», dit Robert, soudain plus sérieux.

«Vas-y!», lui dit Vincent.

«Sans blague, notre programme d'exercices a l'air de te faire beaucoup de bien. Penses-tu que tu peux continuer comme ça longtemps?»

«Pourquoi tu demandes ça?», l'interroge Vincent.

«Eh bien, j'ai des douleurs aux genoux et je ne crois pas que la course à pied, ça me convienne vraiment. Je ne peux pas m'imaginer en train de nager trois ou quatre fois par semaine ou de faire une autre activité aérobique, ce qui fait que je commence à avoir peur de pas pouvoir suivre ce programme-là assez longtemps pour que ça me fasse du bien à moi aussi», lui avoue Robert.

«Jusqu'à maintenant, j'ai été chanceux», lui répond Vincent. «Mais je comprends ce que tu veux dire. Je ne crois pas non plus que ma grosse charpente trapue est faite pour endurer ce genre de supplice-là pour toute la vie.»

# Les Blessures Sportives

Vincent et Robert ont atteint un point que tous ceux qui s'engagent dans la voie de la mise en forme vont rencontrer un jour ou l'autre. Tôt ou tard, vous vous ferez une blessure qui rendra difficile, sinon impossible le maintien de votre régime de vie actif. Quand vous êtes dans cette situation, plusieurs options s'offrent à vous :

1) tout arrêter et revenir à votre ancien style de vie;
2) chercher l'aide appropriée et lutter avec votre dernière énergie pour passer outre votre blessure et maintenir votre style de vie;
3) alterner votre entraînement entre différents sports pour laisser reposer la partie blessée;
4) réduire votre niveau d'activité.

La première fois que j'ai consulté un médecin pour des douleurs dans un genoux dues à la course à pied, son avis a été de réduire l'intensité de mon entraînement. Quand j'ai expliqué au médecin que c'était important pour moi de courir et que cela faisait partie de mon régime de vie sain, le médecin m'a référé à une clinique médicale sportive. Wow, tout d'un coup, j'étais devenu un athlète! Il y avait des photos autographiées d'athlètes célèbres sur les murs. Tous les patients qui s'y trouvaient avaient ceci en commun avec moi qu'ils voulaient tous ardemment retourner au plus vite à leur activité physique préférée, que ce soit le hockey, le ski, la course, le golf ou autre chose. J'étais heureux de me retrouver parmi des gens qui partageaient ma passion : sans égard aux différents sports pratiqués, nous voulions tous être ce que nous pouvions être de mieux.

Nous avons tous des limites dues à l'âge, au bagage génétique et à l'état de notre forme physique. Cela ne veut pas dire que nous n'avons pas une responsabilité envers nous-mêmes de nous maintenir dans la meilleure forme possible et d'utiliser tous les moyens disponibles pour y arriver.

Regardons d'un peu plus près l'exemple de Robert dans notre histoire. Voici un homme qui pèse largement plus de 90 kg (200 livres) et qui se plaint de douleurs aux genoux. Voyons maintenant quelques causes possibles de ce problème et qui peuvent facilement être diagnostiquées et corrigées par une visite à une bonne clinique médicale sportive.

1) Mauvaise technique d'étirements.
2) Courir sur le pavé incliné de la route (près du bord du trottoir).
3) Problèmes orthopédiques/mauvais souliers de course.
4) Mauvaise technique de course.

Les douleurs de Robert peuvent n'être que passagères et résulter de l'ajustement que subit son corps à de nouveaux stress. Elles peuvent être calmées à l'aide de glace et d'analgésiques doux. Ce n'est certainement pas une raison pour cesser de s'entraîner!

Imaginons un instant que vous êtes responsable du plus grand athlète du monde. Les performances et les succès de cet incroyable spécimen d'élite sont entre vos mains. Prépareriez-vous pour votre magnifique athlète un plan d'urgence en cas de blessures? Bien sûr que vous en prépareriez un. Eh bien, vous savez quoi? Vous êtes tous en charge du plus important athlète qui soit : vous-mêmes. Vous devez vous préparer à faire face aux blessures sportives. Vous devriez pouvoir y remédiez aussi rapidement que n'importe quel athlète, professionnel ou amateur.

Le meilleur remède contre les blessures sportives reste la prévention. L'étirement, l'alternance des exercices et la modération sont les meilleurs moyens qui permettent de prévenir ces problèmes.

Certains voient l'étirement comme un mal nécessaire et d'autres comme le moment le plus amusant de leur vie. Prenez la peine de tirer vos exercices d'étirements des sources les plus compétentes dans ce domaine et prenez le temps de sentir et d'apprécier vos étirements. C'est un moment privilégié pour sentir votre corps et comprendre où se trouvent les points à risque avant qu'ils ne subissent de blessures. Vous trouverez à l'annexe 1 quelques étirements de base pour la course à pied et le cyclisme. Toutefois, je suis certain que vous ne voudrez refaire jour après jour la même routine. Vous pouvez en apprendre plus à ce sujet en consultant les excellents livres et vidéos fournis par Stretching Inc.[1], et que vous pouvez commander au 1-800-333-1307.

L'étirement ne doit pas être précipité. Les bonnes techniques d'étirement ont l'air presque zen : vous concentrez votre énergie sur la zone que vous étirez et vous vous efforcez de bien sentir les muscles qui s'étirent. Voici l'une des meilleures descriptions que j'aie entendues au sujet de ce sentiment : «Quand les muscles se relâchent, ça fait l'effet du beurre qui fond.» Votre respiration doit être profonde et bien contrôlée lorsque vous vous étirez. Cela vous permet de mieux sentir la zone sur laquelle vous êtes en train de travailler.

Si les étirements ne font pas partie de votre routine d'entraînement, vous ne resterez pas actifs très longtemps. Vous serez mis K.O. par les blessures. Parenthèse : cela ne signifie pas nécessairement que vous devez absolument faire vos étirements tout de suite avant ou après l'exercice. Vous pouvez profiter des bienfaits de l'étirement à tout moment. Certains athlètes préfèrent s'étirer après une légère séance d'exercices plutôt qu'avant. Les muscles sont plus détendus et plus chauds après un exercice. Si vous ne voulez pas faire une grosse séance d'entraînement, des étirements faits seulement

---

1. NDT : Ces services et documents sont pfferts en anglais seulement.

après l'exercice peuvent très bien suffire. Cependant, avant une course ou un entraînement vigoureux, vous devriez vous étirer pendant dix ou quinze minutes.

L'entraînement en alternance vous permet de combiner plusieurs sortes d'exercices, que vous pouvez pratiquer en changeant d'exercices d'une séance à l'autre, afin d'éviter à votre corps les problèmes reliés à l'entraînement trop répétitif. Vous aurez également tendance à développer une apparence un peu trop typée si vous vous en tenez à un seul sport : les grands coureurs sont généralement maigres, avec des jambes robustes et une poitrine sous-développée; les nageurs développent de grosses épaules; les cyclistes, d'immenses jambes. Les triathlètes, pour leur part, ont une masse musculaire bien développée sur toute sa superficie et très peu de graisse. Les muscles des culturistes sont immenses parce qu'ils sont faits pour l'activité anaérobique : ils pourraient difficilement soutenir une activité aérobique sur une longue période de temps. Les culturistes perdent souvent du muscle et gagnent des kilos de graisse lorsqu'ils quittent l'entraînement, à moins qu'ils ne se mettent intensément à l'entraînement aérobique et qu'ils ne changent radicalement leur alimentation pour combler leurs nouveaux besoins alimentaires. Cependant, souvenez-vous que ces stéréotypes s'appliquent aux athlètes de haut niveau. La plupart des athlètes dilettantes que je connais ont toutes sortes de proportions et d'apparences. Il n'existe pas de «look» spécifique pour les athlètes dilettantes, même s'ils sont en grande forme.

Parfois, j'ai entendu des femmes dire qu'elles ne voulaient pas faire d'exercices par peur de développer une musculature trop proéminente qui leur donnerait une allure moins féminine. J'aimerais dire à ces personnes qu'elles doivent apprendre à apprécier les corps athlétiques et à voir ce que représentent ces nouveaux muscles. Des muscles bien définis vous serviront dans tous les aspects de votre vie. Faites un effort pour mieux les connaître. Cette attitude de mépris ou de dégoût est aussi ridicule que si vous disiez que vous ne voulez pas avoir plus d'argent parce que vous pensez que les gens riches sont méchants. Je crois que vous réussiriez à vous y faire, non! L'amélioration de votre force musculaire constitue l'un des meilleurs moyens que vous puissiez prendre pour vous assurer une meilleure qualité de vie quand vous aurez pris de l'âge. Vous aurez alors une meilleure résistance aux blessures. Voulez-vous devenir de frêles petites vieilles ou des personnes âgées actives et en santé? Les décisions que vous prenez aujourd'hui apporteront plus tard la réponse à cette question.

Pour obtenir un physique bien équilibré, il serait important que vous choisissiez au moins deux types d'exercices aérobiques combinés avec des séances de poids et haltères pour élaborer votre routine d'entraînement. Vous pourriez choisir la natation et le cyclisme, la course et la natation, le ski de fond et la course, ou tout autre combinaison de ces quatre sports. L'entraînement aux poids et haltères favorise une meilleure résistance physique en développant les muscles et en renforçant les os. Ce dernier point est particulièrement important pour les femmes, qui doivent prévenir les effets néfastes que l'ostéoporose peut provoquer. Les exercices de levée de poids peuvent renforcir les os chez les personnes d'à peu près tous les âges. C'est donc une bonne idée d'inclure à votre programme régulier d'exercices des séances de poids et haltères.

Il se déroule un peu partout au pays à certains moments de l'année des courses ouvertes à tous, en plus des innombrables demi-marathons et marathons, et des courses de 5 000 m et 10 000 m. Il existe également des compétitions de ski de fond, de natation, et des tours cyclistes. Renseignez-vous auprès de vendeurs dans les boutiques spécialisées de sport pour connaître les dates et lieux de ces événements. Le fait de s'inscrire à l'une de ces compétitions renforcera votre engagement personnel à vous entraîner régulièrement. Ce sont souvent des sources de grands plaisirs et d'excellents moyens de motivation. Comme pour bien des choses dans la vie, on ressemble aux gens avec qui l'on fraternise. Donc, fraternisez avec des gens actifs et vous deviendrez encore plus actifs.

## La modération

La modération est un de ces mots si usés qu'ils n'ont pratiquement plus de sens. La modération, en regard de l'activité physique, ne signifie pas qu'il ne faille jamais pousser les limites de son corps. Cela veut simplement dire que vous devez introduire progressivement de nouveaux exercices à votre routine et savoir vous arrêter si votre corps proteste trop vivement. Comme je l'ai déjà expliqué, la méthode utilisée pour augmenter les performances du corps humain jusqu'aux niveaux les plus élevés - ou jusqu'à des horizons plus modestes, dans notre cas - consiste à mettre notre corps sous une certaine tension (exercice), à lui donner le temps ensuite de récupérer (repos), puis à recommencer avec un peu plus d'intensité la fois suivante. Voilà l'approche modérée. Une approche moins modérée consisterait à mettre le corps sous tension jusqu'à l'épuisement, à ne pas lui donner de période de repos, puis à le soumettre de nouveau au même régime. Vous avez une idée pourquoi cette technique n'est pas bonne? En fait, la raison qui pousse certains athlètes de classe mondiale à consommer des stéroïdes anabolisants est que ces substances ont pour caractéristique de réduire le temps de repos nécessaire au corps entre deux séances d'exercices. Ce genre de vision à court terme fait fi des questions d'étique et des problèmes physiologiques non négligeables causés par ces produits.

Il peut sembler que la modération fait partie du bon sens, que tout le monde comprend tout de suite son importance. Cependant, il est parfois très difficile de comprendre si oui ou non nous sommes bien concentrés sur notre objectif. Par exemple, vous pourriez décider de courir un total de quinze miles pendant une semaine donnée. Le lundi, vous courez trois miles. Vous faites de même le jeudi et le vendredi; mais le samedi, il pleut, alors vous ne courez pas les trois miles que vous aviez mis à votre programme. Le dimanche, vous décidez d'y aller pour six miles afin de pouvoir rencontrer votre objectif de la semaine. Vous les faites et vous rentrez, fiers de l'exploit accompli. Et vous savez ce qui arrive le mardi suivant? Vous courez votre premier mile, puis une blessure se déclare et vous empêche de vous entraîner pendant deux ou trois mois. Alors, à quoi vous ont servi les six miles parcourus dimanche?

Malheureusement, la modération est une notion qu'il faut habituellement apprendre par ses propres erreurs pour la retenir. À moins que vous ne travailliez sous la supervision d'un entraîneur, vous courez le risque de vous blesser un jour ou l'autre en pratiquant vos exercices. Ne prenez pas cette mise hors combat à la légère. Apprenez de vos erreurs, suivez les traitements appropriés et reprenez l'entraînement aussi tôt que votre santé vous le permet.

## La motivation

Au cours de votre progression à travers votre programme d'entraînement viendra un moment où vous sentirez que vous perdez votre motivation. Il est très difficile de suivre continuellement sa petite routine d'exercices sans bénéficier du support moral de qui que ce soit. Quand cela vous arrivera, vous devriez peut-être penser à vous joindre à un club sportif. Il existe des clubs de course, de natation, de triathlon, de cyclisme, de ski de fond et d'aviron. Selon mon expérience, ces clubs favorisent habituellement par nature la fraternisation entre leurs membres et sont un support moral très efficace. Vous pouvez prendre des renseignements sur ces clubs auprès d'un marchand d'articles de sport de votre localité ou auprès de vos connaissances. Souvent, les marchants d'articles de sport organisent des rencontres pour les nouveaux arrivés d'un club sportif, ce qui leur permet de se faire de nouveaux amis et des contacts dans la place.

Voici ma propre expérience à ce sujet. Je me suis joint à mon club de course en 1994, alors que je m'entraînais pour participer pour la première fois au marathon de New York. J'étais arrivé à un point où j'avais beaucoup de difficultés à suivre mon long entraînement quand je dépassais la marque des treize miles. Idéalement, quand on se prépare pour un marathon, on veut se rendre à plus de 20 miles lors des entraînements, question d'être bien préparé pour la course de 26,2 miles (42 km 195). Grâce à mon club sportif, j'ai pu m'entraîner avec des gens qui avaient couru des douzaines de marathons. Pendant l'entraînement, ils m'ont donné d'excellents conseils et m'ont remonté le moral quand j'en avais besoin. Sans cette aide, je ne crois pas que j'aurais pu compléter aucun des marathons auxquels j'ai participé. Le degré d'expérience au sein de mon groupe est formidable, et je ne crois pas que ce soit un cas unique. Notre club entretient des liens avec d'autres clubs que nous rencontrons lors de divers événements. D'une certaine manière, en vous joignant à un club sportif, vous devenez un membre d'une grande famille.

L'accent est mis bien souvent sur les rencontres sociales dans ce genre de clubs, ce qui représente un atout de plus. Mon club sportif organise régulièrement des soupers, des séjours au domaine qu'un des membres possède à la campagne, une course bénéfice annuelle pour des œuvres de charité et habituellement aussi des voyages de groupe vers diverses destinations, comme des randonnées de course dans le Cabot Trail en Nouvelle-Écosse ou dans les parcs de Jasper et de Banff en Alberta. Ce genre d'expériences rapproche les membres entre eux et, du coup, resserre les liens dans notre communauté.

La raison qui m'a fait tout d'abord hésiter à me joindre à mon club local était ma peur de ne pas être à leur niveau. En vérité, je suis l'un des coureurs les plus lents du club. Je ne me suis jamais senti déclassé pour autant. Lors de nos entraînements ou de nos compétitions, je cours en compagnie de n'importe quel autre membre qui, cette journée-là, court à la même vitesse que moi. Plus souvent qu'autrement, il reste toujours un autre coureur pour finir la course avec moi. Dans le pire des cas, j'arrive juste à temps pour le café après les coureurs les plus rapides. Et après? Le véritable esprit de fraternité se déploie lorsque nous discutons autour de la cafetière, alors je ne manque rien.

Prévoyez votre adhésion à un club avant d'en avoir besoin. Vous y trouverez un groupe de support déjà tout prêt. Votre adhésion à un club sportif vous procurera la motivation nécessaire pour continuer votre entraînement, tant les jours où vous vous sentez d'attaque que les jours où vous voudriez tout laisser tomber. Et puis, vous vous y ferez d'excellents nouveaux amis!

# Épilogue

Trois mois se sont écoulés depuis le souper où nous avons rencontré nos amis. Vincent et France ont invité à souper Julie et Robert.

«J'espère que vous avez faim», leur dit Vincent. «On a préparé une tonne de nourriture.»

«Je suis toujours prêt pour la bonne bouffe!», réplique Robert. «Qu'est-ce qu'on mange?»

«Nous avons des morceaux de pain pita et des légumes avec deux trempettes : de l'hummus et une trempette au yogourt et à l'ail. Pour le plat principal, une julienne de légumes frais (cuits à la vapeur, pas frits!) servie avec d'incomparables poitrines de jeune poulet sans peau gentiment grillées sur le barbecue», déclare Vincent en prenant un faux accent maître d'hôtel français.

«Et bien sûr, vous savez ce qu'il manque à ce joli tableau?», demande Robert avec le même horrible accent.

«Le houblon!», s'écrient-ils en chœur avant de courir vers le réfrigérateur.

France et Julie rient du comportement de leurs maris si prévisibles, puis continuent leur conversation.

«Je suis tellement contente que tu te sois inscrite à la course de 10 km, Julie. Qu'est-ce qui t'as décidée à le faire?»

«Oh, ça ne m'énerve pas trop, tu sais! J'ai juste pensé que j'avais peut-être besoin de quelque chose pour me motiver à sortir pour m'entraîner. J'ai tellement peur de faire une folle de moi que ça me pousse à rester concentrer sur mon objectif et à poursuivre mon entraînement.»

«Bien!», dit France. «Ça me fera plaisir de courir avec toi, si tu veux.»

«Oh, c'est pas nécessaire! J'ai appris à courir à mon propre rythme. Si j'essaie de courir avec Robert ou une autre personne qui va plus vite que moi, ça sert juste à me frustrer. Mon moniteur m'aide à aller exactement au bon rythme : je dois fournir un bon effort, mais je me sens bien tout au long du parcours. J'ai hâte à la course parce que je suis sûre qu'il y aura des personnes qui courent au même rythme que moi et avec qui je pourrai faire la conversation.»

«C'est vrai, ça», continue France. «L'une de mes meilleures partenaires d'entraînement, c'est une femme que j'ai rencontré lors de plusieurs courses. On terminait toujours à peu près en même temps. J'ai découvert qu'elle habitait dans le voisinage, alors on fait de longs parcours ensemble une ou deux fois par mois. Je suis vraiment fière de toi. Rappelle-toi, tu disais y'a pas si longtemps qu'on te verrait jamais courir dans la rue avec des cuissards en spandex!»

«Ouais, bien, je crois que le spandex, c'est un signe d'accomplissement. Je crois pas que je le mérite déjà, mais je le porte quand même parce que je sens plus rapide comme ça et Robert dit qu'il aime bien ça!» Julie pouffe de rire et France lève un peu les sourcils, d'étonnement.

À l'extérieur, nos maîtres cuisiniers sont en grande conversation autour du barbecue.

«Mon gars, si tu perds encore du poids, je vais finir par plus te reconnaître», dit Robert.

«T'as pas à parler! Combien t'as perdu?», demande Vincent.

«Bah, je suis plus l'esclave de mon pèse-personne!», s'exclame fièrement Robert. «Tu veux savoir la meilleure? J'ai rien fait pour perdre du poids. Je me suis seulement mis à manger plus intelligemment et j'ai augmenté mon niveau d'activité physique, puis voilà, je fonds! Y'a quand même un mauvais côté à tout ça.»

«Quoi?»

«J'ai dû faire faire des ajustements à tous mes complets! Ça m'a coûté plus de 100$ en frais de tailleur.»

«C'est qui ton tailleur? Ça me semble un prix très raisonnable, non?»

«Je suppose... En tous cas, mon nouveau style de vie me coûte cher. Julie et moi mis ensemble, on a dû dépenser environ quatre cents dollars pour acheter des souliers et des vêtements de course. Et puis, j'ai dû acheter des semelles orthopédiques, un moniteur cardiaque, en plus de payer à Julie des séances de massage deux fois par mois et ses inscriptions pour les courses. Et puis ça continue...»

«Mais ça en vaut la peine?»

«Je comprends! C'est nos vies, après tout.»

# Résumé

Surprise! Tout finit pour le mieux dans la petite histoire de nos quatre amis. Ils vécurent heureux jusqu'à cent ans et coururent le marathon chaque mois jusqu'à leur dernier jour! Voilà pour la fiction. À travers votre lecture, vous avez rencontré plusieurs notions importantes que vous devriez essayer de retenir afin de les appliquer dans la vraie vie.

Admettez votre côté pantouflard.

Prenez dès maintenant la résolution de changer; faites de votre démarche vers un style de vie plus sain une priorité absolue passant avant votre famille et votre travail : quand vous aurez atteint vos objectifs, votre famille et votre travail vous en remercieront.

Documentez-vous au sujet de l'alimentation, de l'exercice physique et des façons de mener un style de vie sain.

Fixez-vous des buts réalisables.

Allez chercher du soutien auprès de vos amis, mais qu'ils ne deviennent pas des béquilles pour vous. Vous devez faire cette démarche pour vous-mêmes.

Maintenez votre consommation quotidienne de calories provenant des matières grasses sous la barre des 30% du total de votre consommation de calories.

Si ce livre vous a aidé, recommandez-le aux autres, mais gardez votre exemplaire. Je veux envoyer mes enfants à l'université!

N'arrêtez jamais de vous faire plaisir dans la vie!

Le destin nous a jetés dans la période historique où nous

devons vivre. Nos choix de vie et notre héritage familial ont déterminé l'endroit où nous vivons, nos valeurs et toutes ces autres choses qui font de nous tous des individus uniques. À quelques reprises au cours de votre vie, vous vous poserez des questions au sujet des choix que vous avez faits et vous vous demanderez ce qui aurait bien pu arriver si vous aviez pris une autre voie.

Les décisions que vous prenez aujourd'hui auront des répercussions sur votre vie future. Si quelque chose vous tracasse au sujet de la voie sur laquelle vous vous êtes engagés, changez de voie. Si vous voulez récolter tout ce que la vie peut vous donner, vous devez résister, vous replier et vous battre à l'intérieur du rôle que le destin vous a assigné. Pour autant que les livres d'histoire peuvent s'en soucier, vous n'êtes pour eux qu'une statistique. Et selon les statistiques, nous formons une société d'obèses, d'essoufflés et de pantouflards pleins de remords. En vieillissant, nous pouvons voir ce que l'avenir nous réserve de maladies et d'infirmités causées par notre style de vie malsain.

Ce livre a été écrit en prenant en compte toute la difficulté qu'il y a à changer. J'espère que cette approche donnera à bon nombre de personnes les outils et la volonté nécessaires pour apporter à leur existence les changements qui s'imposent et, par-dessus tout, pour jouir enfin des avantages d'un style de vie plus sain.

# Annexe 1

# Les Étirements

Une bonne routine d'étirements devrait comprendre une variété de différents étirements vous permettant de bien vous échauffer et vous assurant que vous ne soyez pas trop fourbus après l'exercice. Les conseils suivants vous seront très utiles pour commencer.

Le document reproduit ici est tiré de deux affiches (22 1/2" X 34") de Bob Anderson, Running Stretches © 1995) et Cycling Stretches (© 1992), illustrées par Jean Anderson. Reproduction autorisée. Stretching Inc., P.O. Box 767, Palmer Lake CO 80133-0767, 1-800-333-1307, http://www.stretching.com. Pour recevoir un catalogue gratuit (en anglais), contactez Stretching Inc., aux États-Unis, ou, au Canada, Activetics Inc., 18 Winlock Park, Willowdale, Ontario, M2M 1Z2, 1-800-565-8678.

## Comment Faire ses Étirements

Les étirements devraient se faire lentement, sans précipitation. Étirez vos muscles doucement, sans forcer. Maintenez vos positions d'étirement pendant 5 à 30 secondes. La sensation de tension devrait diminuer pendant que vous maintenez la position d'étirement. Si ce n'est pas le cas, choisissez un étirement plus confortable, moins brutal. Ce type d'étirements réduit la tension et prépare les tissus aux étirements en profondeur.

Après avoir maintenu votre position d'étirement pendant quelques secondes, resserrez un peu plus l'étirement jusqu'à ce que vous sentiez à nouveau une légère tension. Cette étape constitue l'étirement en profondeur; vous devriez maintenir cette position pendant 5 à 30 secondes. La sensation de tension devrait là aussi diminuer ou du moins rester la même. Si la tension s'accroît ou qu'elle devient douloureuse, c'est que vous étirez trop fort. Enlevez un peu de pression jusqu'à ce que l'étirement devienne confortable. L'étirement en profondeur réduit la tension dans les tissus et accroît leur flexibilité de façon sécuritaire.

Ne maintenez que la pression qui vous semble correcte. Le secret de l'étirement, c'est d'être détendu et de se concentrer sur les zones que l'on est en train d'étirer. Votre respiration devrait être lente, profonde et bien cadencée. Ne vous préoccupez pas du degré d'étirement que vous pouvez atteindre. La détente et les exercices d'assouplissement feront rapidement partie de votre routine d'étirements.

# AVANT LA COURSE À PIED

En pliant les genoux, placez vos mains derrière votre tête et croisez votre jambe gauche par-dessus votre jambe droite. Maintenant, poussez avec votre jambe gauche sur votre jambe droite pour la faire basculer de côté, jusqu'à ce que vous sentiez une tension sur le côté de votre hanche et dans le bas du dos. Étirez et restez détendus. Gardez le haut de votre dos, vos épaules et vos coudes en contact avec le sol. Vous ne devez pas toucher le sol avec votre genou droit, vous devez vous étirer jusqu'à votre limite. Maintenez pendant 20 secondes. Répétez cet étirement pour l'autre jambe.

Pour étirer vos mollets, tenez-vous à courte distance d'un support solide et appuyez-vous dessus à l'aide de vos avant-bras, la tête reposant sur les mains. Pliez une jambe et faites-la passer devant. L'autre jambe reste à l'arrière, bien droite. Avancez le bassin lentement jusqu'à ce que vous sentiez une tension dans le mollet de la jambe tendue. Gardez bien le talon de cette jambe à plat sur le sol, les ortells bien droits. Maintenez un degré de tension confortable pendant 30 secondes. Ne donnez pas de coups. Étirez l'autre jambe ensuite.

Pour étirer la plante des pieds et les tendons d'Achille, pliez légèrement le genou de la jambe placée à l'arrière tout en gardant le pied bien à plat sur le sol. Cette tension touche la partie inférieure de votre jambe et favorise le maintien ou l'augmentation de la flexibilité de la cheville. Maintenez pendant 15 secondes pour chaque jambe. Cette zone ne demande qu'une légère tension lors de l'étirement.

Accroupissez-vous, les genoux à la largeur des épaules, les pieds pointés vers l'extérieur dans un angle de 15º, les talons à plat sur le sol; descendez. Si vous éprouvez de la difficulté à rester dans cette position, appuyez-vous sur un support quelconque. Cet étirement est bénéfique pour les chevilles, les tendons d'Achille, les aines, le bas du dos et les hanches. Maintenez la position pendant 20 secondes. Attention : si vous avez déjà souffert de douleurs aux genoux et que vous ressentez à nouveau de la douleur, cessez de pratiquer cet étirement.

Faites pivoter vos chevilles dans un sens, puis dans l'autre, à l'aide d'un mouvement complet en appliquant un peu de résistance avec vos mains. Cette rotation aide à détendre doucement les ligaments. Répétez cet exercice 10 à 20 dans les deux directions et sur les deux chevilles.

Collez ensemble vos plantes de pied, les genoux confortablement tournés vers l'extérieur. Ensuite, posez vos mains sur vos pieds et contractez lentement vos abdominaux pendant que vous vous penchez vers l'avant jusqu'à sentir une bonne tension dans vos aines. Le mouvement doit partir des hanches, et non des épaules. Si possible, posez vos coudes sur le côté externe de vos jambes pour vous donner un point d'appuie durant cet étirement. Maintenez la position pendant 20 à 30 secondes.

# AVANT DE FAIRE DU VÉLO

D'abord, un étirement pour les bras, les épaules et le dos. Prenez appuie sur un support qui soit à peu près à la hauteur de vos épaules. Placez vos mains à largeur d'épaules, détendez-vous, puis, en gardant les bras droits et abaissez le haut du corps, en maintenant vos pieds en ligne droite avec vos hanches. Pliez un peu les genoux. Maintenez cette position pendant 30 secondes. Cet étirement peut se faire n'importe où, n'importe quand. (Souvenez-vous de toujours plier un peu les genoux en le faisant.)

Ensuite, allongez bien vos jambes et détendez-vous. Puis, pliez votre jambe gauche en la ramenant sur votre poitrine. Gardez votre tête sur le sol, si possible, mais ne forcez pas. Maintenez une tension confortable pendant 30 secondes. Répétez avec l'autre jambe.

Placez vos plantes de pieds l'une contre l'autre, les genoux vers l'extérieur. Posez vos mains sur vos pieds et penchez-vous lentement vers l'avant jusqu'à sentir une bonne tension dans les aines. Le mouvement doit partir des hanches, et non pas des épaules. Si possible, posez vos coudes sur le côté externe de vos jambes pour vous donner un appui. Maintenez une tension confortable pendant 30 à 40 secondes.

Pour étirer les tendons de cuisses et vos hanches, prenez d'une main la partie externe de votre cheville et placez l'autre main et le bras autour du genou replié. Tirez doucement la jambe tout d'un bloc vers votre poitrine jusqu'à ce que vous sentiez une tension confortable à l'intérieur de votre cuisse. Vous pouvez appuyer votre dos contre un mur pendant cet exercice. Maintenez la position pendant 30 secondes. Faites bien attention que la jambe soit tirée tout d'un bloc afin d'éviter les blessures aux genoux.

Assoyez-vous en pliant sous vous votre jambe droite, hauteur de la hanche droite. Pliez ensuite votre jambe gauche de manière à ce que la plante de votre pied gauche s'appuie sur le dessus de votre cuisse droite. (Essayez d'éviter que votre pied droit de s'éloigne trop de votre corps durant cet exercice.) Ensuite, penchez-vous lentement vers l'arrière jusqu'à ce que vous sentiez une tension confortable dans votre quadriceps droit. Utilisez vos mains comme support. Maintenez la position pendant 30 secondes. Cessez immédiatement tout étirement qui provoque des douleurs aux genoux.

# APRÈS LA COURSE

Placez la pointe de votre pied sur un support stable (un muret, une table). La jambe au sol doit être pointée droit vers l'avant. Pliez le genou de la jambe appuyée sur le support et avancez les hanches. Cet exercice étire vos aines, les tendons de vos cuisses et le devant de vos hanches. Maintenez la position pendant 20 secondes. Cet étirement facilitera la levée de vos jambes. Vous pouvez vous appuyer sur quelque chose pour avoir plus de contrôle. Répétez avec l'autre jambe.

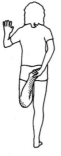

En pliant votre genou gauche, attrapez le pied gauche avec votre main droite et tirez doucement en apportant le talon vers les fesses. Si vous êtes peu souples, vous pouvez agripper votre bas plus haut sur la jambe, plutôt que de saisir votre pied, pour ne pas mettre trop de tension sur les genoux et les quadriceps. Maintenez pendant 30 secondes. Répétez avec l'autre jambe.

En pliant un peu les genoux, penchez-vous lentement vers l'avant à l'aide de vos hanches. Gardez toujours les genoux un peu pliés durant cet exercice (environ deux centimètres, pour ne pas mettre de tension sur le bas du dos.) Détendez votre cou, vos bras et vos mains. Descendez jusqu'à ce que vous sentiez une légère tension dans le bas de votre dos. Maintenez la position pendant 15 à 25 secondes, jusqu'à ce que vous soyez détendus. Détendez-vous en vous concentrant sur les zones touchées par l'étirement. Ne dépliez pas les genoux et ne sautillez pas durant cet exercice. Étirez-vous selon ce que vous ressentez et non selon la distance que vous pouvez atteindre. Gardez les genoux pliés lorsque vous vous relevez.

Comme le montre la photo ci-contre, placez l'un de vos gros orteils à la hauteur du genou opposé. Avec votre épaule, poussez vers l'avant jusqu'à ce que votre talon lève d'environ un centimètre. Ensuite, essayez de replacer le talon à plat en faisant de la résistance avec votre épaule. Cet exercice étire le tendon d'Achille et la cheville. Maintenez une légère tension pendant 20 secondes.

Comme le montre la photo ci-contre, avancez l'une de vos jambes jusqu'à ce que le genou soit en ligne avec la cheville. Votre autre genou touche au sol. Ensuite, sans bouger le genou au sol ni le pied, descendez les hanches jusqu'à créer une légère tension que vous sentirez au-devant de la hanche et possiblement dans les tendons des cuisses et aux aines. Cet exercice aide à détendre le bas du dos. Maintenez la tension pendant 30 secondes.

# APRÈS LE VÉLO

Accroupissez-vous, les genoux à la largeur des épaules, les pieds pointés vers l'extérieur dans un angle de 15º, les talons à plat sur le sol; descendez. Si vous éprouvez de la difficulté à rester dans cette position, appuyez-vous sur un support quelconque. Cet étirement est bénéfique pour les chevilles, les tendons d'Achille, les aines, le bas du dos et les hanches. Maintenez la position pendant 20 secondes. Attention : si vous avez déjà souffert de douleurs aux genoux et que vous ressentez à nouveau de la douleur, cessez de pratiquer cet étirement.

En vous tenant debout avec les genoux un peu pliés, placez la paume de vos mains sur le bas de votre dos, juste en haut des hanches, les doigts pointés vers le bas. Poussez doucement avec vos mains pour créer une légère tension sur le bas du dos. Maintenez la tension pendant 10 à 12 secondes. Répétez deux fois. Vous pouvez faire cet étirement après une longue période assise.

Comme le montre la photo ci-contre, avancez l'une de vos jambes jusqu'à ce que le genou soit en ligne avec la cheville. Votre autre genou touche au sol. Ensuite, sans bouger le genou au sol ni le pied, descendez les hanches jusqu'à créer une légère tension que vous sentirez au-devant de la hanche et possiblement dans les tendons des cuisses et aux aines. Cet exercice aide à détendre le bas du dos. Maintenez la tension pendant 30 secondes.

En plaçant les bras au-dessus de la tête, prenez l'un des coudes dans votre main opposée. En gardant les genoux un peu pliés (deux centimètres), tirez doucement le coude derrière votre tête en pliant les hanches dans cette direction. Maintenez pendant 10 secondes. Répétez de l'autre côté. Vous aurez plus d'équilibre en pliant les genoux.

En vous mettant à genoux, penchez-vous vers l'avant et étendez l'un de vos bras en vous grippant au bout du matelas, du tapis, ou à tout autre support. Si vous ne pouvez vous agripper à quelque chose, tirez simplement votre bras vers l'arrière pendant que vous poussez votre main contre le sol. Maintenez pendant 20 secondes. Répétez de l'autre côté. Ne forcez pas. La tension devrait se faire sentir dans les épaules, les bras, les côtés, le haut du dos, et même peut-être dans le bas du dos.

# Annexe 2

## L'Équipement

Bravo! Vous vous engagez assez sérieusement dans votre nouveau style de vie plus sain pour vouloir vous acheter de nouveaux équipements sportifs. C'est une étape importante. Vous lirez dans cette section quelques conseils intéressants qui vous aideront à poser les bonnes questions à votre détaillant d'articles de sport.

Bien sûr, l'équipement varie d'un sport à l'autre. Il y a cependant quelques notions de base qui s'appliquent à la plupart des activités de plein air.

## Les Vêtements

Le polypropylène est un nouveau tissu que l'on utilise de plus en plus pour les vêtements de sport. Il s'agit d'un tissue qui offre plusieurs avantages pour les athlètes. Les plus grands manufacturiers de vêtements de sport produisent des culottes courtes, des pantalons, des chandails, des sous-vêtements longs, des gants et des chapeaux fait de polypropylène. Ses avantages sont de chasser l'humidité loin du corps et de la laisser s'évaporer sur la surface du vêtement. Cela vous permet de rester au chaud et au sec pendant les jours froids. Le polypropylène est aussi très léger et sèche rapidement. Le coton, au contraire, a tendance à s'alourdir avec la sueur et prend longtemps à sécher. Par temps chaud, je vous suggère les articles de base suivants :

Veste en polypropylène
Culottes courtes en polypropylène
Bas en polypropylène
Pour les femmes, soutien-gorge athlétique

Cet ensemble peut vous coûter entre 50$ et 75$ chez un détaillant spécialisé. Vous pouvez faire de bonnes affaires souvent sur le site même des courses, lors des ventes de fin de saison ou auprès de magasins non spécialisés.

Par temps froid (et en passant, oui, vous devez continuer à vous entraîner durant l'hiver!), habillez-vous selon la température. La règle d'or suggère dans ces cas-là de vous habiller pour être confortable à une température supérieure de 10ºc à la température extérieure du moment. Donc, si le mercure indique 0ºc, vous devriez couvrir vos jambes et vos bras, mais à 8ºc ou 12ºc, vous serez probablement confortables en culottes courtes et en T-shirt.

Voici les vêtements à porter lors de l'entraînement en hiver :

- Un haut à manches longues en polypropylène
- Des pantalons en polypropylène
- Des sous-vêtements en polypropylène avec entrejambe en nylon - une nécessité pour les hommes qui s'entraînent par temps très froid : cela protège certaines parties plus sensibles que d'autres.
- Un haut et un bas avec garnitures en nylon (avec des bandes réfléchissantes, si vous vous entraînez le soir).
- Tuque et gants (en polypropylène, de préférence).
- Des bas longs en polypropylène (vos pieds ne gèleront pas, à moins que vous ne vous arrêtiez).

Le prix de l'équipement adéquat pour la saison froide peut vous rebuter. Cependant, vous devez considérer que vous utiliserez ces vêtements de trois à cinq fois la semaine pendant six mois par année pour les trois à cinq prochaines années. Vous ne trouverez probablement pas de vêtements qui puissent vous durer plus longtemps que ceux faits de polypropylène. Ils sont résistants comme l'acier. J'ai une paire de pantalons vieille de trois ans et elle paraît pratiquement aussi bien que le jour où je l'ai achetée. Les articles suggérés par la liste ci-haut peuvent vous coûter au total plus de 300$, tout dépendant de la qualité des garnitures en nylon que vous choisissez. C'est une bonne somme à débourser tout d'un coup, surtout si l'on considère que vous devez encore vous acheter des souliers de course. Souvenez-vous que vous investissez dans votre propre qualité de vie. De plus, le prix payé pour ces articles peut vous servir de motivation pour continuer votre entraînement!

## Les Souliers

On pourrait écrire un livre entier seulement sur les souliers de course. Disons simplement qu'il est assez important d'avoir une bonne paire de souliers pour que je vous conseille fortement de les acheter auprès d'un détaillant spécialisé. Vos pieds sont essentiels. Le choix est vaste lorsqu'il s'agit de souliers de course. Certains types possèdent diverses sortes de contrôle du mouvement, degrés de stabilité, de coussins et de soutiens. Les vendeurs bien renseignés des boutiques spécialisées peuvent analyser vos besoins. Préparez-vous à répondre à plusieurs questions. Soyez honnêtes et dites-leur la fréquence de vos entraînements, les problèmes de santé que vous avez eu par le passé; demandez-leur aussi de vous regarder courir lorsque vous essayez une paire de souliers. C'est la façon la plus simple de déterminer vos besoins en la matière. Lors de la course, vos pieds (ou seulement un des deux) pourraient se tordrent vers l'intérieur ou l'extérieur, ou encore rester bien droits. Si votre poids est fort, vous pourriez avoir besoin de meilleurs coussins. Une arche de pied de forme particulière ou un pied plus large ou plus étroit que la moyenne demandent des souliers spéciaux. Ne vous préoccupez pas trop de l'apparence. Achetez la paire de souliers qui vous convient, non ceux qui vont avec votre style. Vous serez plus confortables et, par conséquent, courrez plus longtemps avec des souliers adéquats.

Un article publié récemment établit une relation de cause à effet entre le prix des souliers de course et les blessures sportives. Il paraît que, lors de l'étude, plus les chaussures coûtaient cher, plus le nombre de blessures augmentait. Je n'ai pas vu cette étude, mais elle soulève tout de même quelques questions intéressantes. Est-ce que les gens achètent des souliers en basant leur choix sur ce qu'ils croient que ceux-ci vont leur éviter des blessures? Pensent-ils qu'un prix élevé est synonyme de haute qualité et qu'ils se fient trop à cette idée? Je crois qu'il est important de ne considérer le prix et l'allure des souliers qu'en tant que simples caractéristiques parmi beaucoup d'autres. Des magazines spécialisés, comme le magazine Runner's World (www.runnerswold.com), publient régulièrement des guides d'achat de souliers sport basés sur des tests effectués par des spécialistes.

Une paire de soulier de course peut parcourir environ cinq cents miles (800 km). Cela peut paraître beaucoup, mais si vous courez de trois à cinq miles trois ou quatre fois par semaine, vous aurez besoin de deux paires par année. Si votre poids est fort (plus de 90 kg ou 200 livres), vous devrez probablement remplacer vos souliers tous les trois ou quatre mois. Cela peut varier considérablement selon votre style de course. Vous saurez qu'il faut changer vos souliers d'après les marques d'usure visibles, l'apparition de douleurs aux jambes ou aux pieds, et l'inconfort lors de vos séances d'entraînement. Vous verrez, il n'y a rien comme courir avec une paire de souliers neufs!

Une paire de souliers de course de qualité peut coûter entre 60$ et 200$. Ce n'est pas donné, mais une bonne paire de souliers vous donnera plus de satisfaction lors de vos entraînements qu'une paire plus modique.

Ne vous contentez pas d'acheter seulement des souliers parce que le vendeur vous y incite et que le magasin les a en inventaire. Malheureusement, même dans les boutiques spécialisées, les vendeurs ont tendance à faire de la vente à pression auprès des débutants qui ne connaissent pas bien le domaine. L'une des façons d'éviter cela est d'acheter vos souliers au printemps, quand la nouvelle marchandise est arrivée. Ce n'est pas l'idéal pour faire des affaires, mais cela vous garantit un vaste choix. Quand vous avez trouvé le soulier qui vous convient, achetez-en tout de suite une paire de rechange avant d'en avoir besoin. Vous pouvez même souvent les avoir à rabais si vous surveillez les ventes.

La plupart des grandes villes ont des boutiques spécialisées dans la vente de souliers sport. Si vous n'en connaissez pas près de chez vous, demandez à votre YMCA ou à votre centre sportif : ce sont habituellement d'excellentes sources de renseignements.

Au Québec, vous trouverez plusieurs magasins de sport où trouver conseils et souliers de qualité, tels les Podium Sport, Sport Expert, et autres succursales de grandes chaînes, aussi bien que des boutiques spécialisées, par exemple la Boutique Courir, à Montréal. Prenez le temps de découvrir les boutiques spécialisées de votre région.

**138**

# Annexe 3

## Suggestions de lecture[1]

### Sur la course à pied

Jeff GALLOWAY, _Galloway's Book on Running_, 1984, Shelter Publications. ISBN 0-394-72709-6

Probablement le meilleur livre sur la course à pied pour les débutants. Je crois qu'il peut être un peu intimidant de lire les conseils d'un ex-champion olympique : après tout, même dans ses pires moments, Jeff Galloway était toujours un bien meilleur coureur que nous ne pourrons jamais l'être. Il respecte beaucoup les coureurs dilettantes et partage avec eux sa grande expérience. Je recommande ce livre à tous ceux qui veulent en savoir plus sur la course à pied et qui désirent améliorer leurs performances.

Dr George SHEEHAN, _Running & Being_ : The Total Experience, 1978, Simon and Schuster. ISBN 0-671-22713-0

Ce livre traite de la philosophie du coureur et de la volonté d'atteindre son plein épanouissement sportif. Le docteur Sheehan fut collaborateur jusqu'à sa mort en 1995 au magazine Runner's World. Il était reconnu pour être le rédacteur d'articles sur la course à pied le plus motivant qui soit. Il a publié plusieurs livres sur le sujet. Vous y trouverez sûrement une source d'inspiration.

[1] NDT : la plupart des livres suggérés dans cette section en anglais. Cependant, vous de trouverez nombreuses publications francophones ou traductions d'ouvrages sur ces sujets dans une librairie ou un kiosque à journaux près de chez vous.

## La Mise en Forme

Covert BAILEY, *Fit or Fat*, 1977, 1978, 1991, Houghton Mifflin Co. ISBN 0-39558564-3

Une véritable bible pour ceux qui veulent comprendre plus à fond l'aspect physiologique de la mise en forme. Covert Bailey est une sommité en matière de nutrition, et tout spécialement en ce qui concerne la nutrition sportive. Vous trouverez plusieurs de ses livres en librairie ainsi que des vidéos que vous pourrez louer auprès de votre club vidéo favori.

Sally EDWARDS, *The Heart Rate Monitor Book*, 1993, Fleet Feet Press.

Si vous avez l'intention d'acheter un moniteur cardiaque, investissez un peu plus d'argent et achetez ce livre. Edwards donne des instructions détaillées sur l'utilisation efficace de ces appareils ainsi que des notions plus théoriques sur l'amélioration de vos performances. Vous trouverez ce livre chez les détaillants d'articles de sport qui vendent des moniteurs cardiaques.

Joan JOHNSON, *The Healing Art of Sports Massage*, 1995, Rodale Press.

Ce livre vous apprend les techniques de base du massage sportif à l'aide d'excellentes illustrations. Lorsque vous aurez entrepris votre entraînement, vous apprécierez ces conseils.

Nancy CLARK, *Nancy Clark's Sports Nutrition Guidebook*, deuxième édition, 1997, Human Kinetics.

William EVANS, PhD, et Dr Irwin H. ROSENBERG, *Biomarkers. The 10 Keys to Prolong Vitality*, 1992, Simon and Schuster. ISBN 0-394-73874-8

Bob ANDERSON, *Stretching*, 1980, Random House. ISBN 0-394-73874-8

## Livres de Recettes

Il existe de plus en plus de bons livres de recettes faibles en gras sur le marché. Le mieux, c'est d'en acheter plusieurs et de les utiliser comme outils de référence pour apprendre la cuisine à faible teneur en matières grasses. Plusieurs de ces livres sont publiés en collaboration avec des organismes tels la Société du cancer ou la Fondation québécoise des maladies du cœur.

## En Français

Bryan AYANOGLU, *La nouvelle gastronomie végétarienne*, 1996, Montréal, Éditions du Trécarré.

Helen BISHOP-MacDONALD et Margaret HOWARD, *Manger mieux, c'est meilleur*, 1990, Montréal, Éditions du Trécarré.

[Les diététistes du Canada], *Le plaisir de mieux manger*, 1995, Montréal, Éditions du Trécarré.

Anne LINDSAY, *Au goût du cœur*, 1991, Montréal, Éditions du Trécarré.

Anne LINDSAY, *Bonne table et bon cœur*, 1989, Montréal, Éditions de l'Homme.

Anne LINDSAY, *Bonne table et bon sens*, 1986, Montréal, Éditions La Presse.

Vesanto MELINA, Brenda CHARBONNEAU-DAVISÉ et Victoria HARRISON, *Devenir végétarien*, 1996, Montréal,

Éditions de l'Homme.
Lynn ROBLIN et Bev CALLAGHAN, _Survivre à l'heure du souper_, 1996, Toronto, MacMilan Canada.

Bonnie STERN, _Cœur atout, simple comme tout_, 1995.

Stephen WONG, _Cuisine chinoise au goût du cœur_, 1996, Fondation des maladies du cœur.

## En Anglais

Janet and Greta PODLESKI, Looney Spoons, _Low Fat Food Made Fun_, 1996, Granet Publishing Inc.
ISBN 0-7715-7355-3

Lynn ROBLIN, R. D., et Bev Callaghan, R. D., _Suppertime Survival_, 1996, MacMillan Canada. ISBN 0-7715-7355-3

BERKOFF, LAUER AND TALBOT, _Power Eating_, 1989, Communiplex Marketing. ISBN 2-9801481-0-5

[The Canadian Dietetic Association], _Healthy Pleasures_, 1995, MacMillan Canada. ISBN 0-7715-7362-6

Barbie CASSELMAN, _Good for You Cooking_, 1993, Random House. ISBN 0-394-22348-9

Anne LINDSAY & Canadian Medical Association, _Anne Lindsay's New Light Cooking_, 1998, Random House.
ISBN 0-345-398-54-8

Anne LINDSAY, _Smart Cooking_, 1986, MacMillan Canada.
ISBN 0-7715-9703-7

Anne LINDSAY, _Lighthearted Everyday Cooking_, 1991, MacMillan Canada. ISBN 0-7715-9119-5

# 142    Annexe 3

_Simply Heart Smart Cooking, with Bonnie Stern_, 1994, Random House with co-operation of Heart and Stroke Foundation. ISBN 0-679-30841-5

_More Heart Smart Cooking, with Bonnie Stern_, 1997, Random House with co-operation of the Heart and Stroke Foundation. ISBN 0-679-30841-5

Rose REISMAN, _Rose Reisman Brings Homme Light Pasta_, 1994, MacMillan Canada. ISBN 0-7715-9149-7

# Annexe 4

## Les Blessures

Si vous voulez mener un style de vie plus actif, vous devrez connaître quelques notions de base au sujet des professionnels de la santé qui peuvent vous être utiles. Malheureusement, notre système de santé favorise plus les soins que la prévention. Habituellement, les gens ne consultent les professionnels de la santé que lorsqu'ils ont un problème. Plusieurs services de consultations vous sont offerts, mais ils ne sont pas tous couverts par l'Assurance-Maladie. Il se peut que le plan d'assurance pris auprès de votre employeur couvre ces frais, mais dans bien des cas, vous devez les payer de votre poche. Et en plus, on dépense plus facilement de l'argent pour de l'équipement sportif que pour sa propre santé. En progressant dans votre entraînement, vous comprendrez bien vite la valeur des services offerts par les différents professionnels de la santé.

Voici une liste de certains des spécialistes dont vous pourriez avoir besoin. Je les ai placés en ordre alphabétique pour faciliter la consultation de ce guide. Il est facile de s'y perdre avec les soins de santé. Un jour ou l'autre, vous devrez choisir le bon spécialiste. C'est un choix difficile si vous ne savez pas qu'il existe un spécialiste pour votre problème. Vous devez vous servir de votre bon sens pour comprendre comment le système de santé traite le genre de blessure que vous avez. Si un spécialiste vous propose de faire un suivi pour un simple muscle endolori pendant plusieurs années, demandez-vous si cette personne s'intéresse à vous ou à son portefeuille. Je ne crois pas qu'un muscle endolori pose plus de problèmes qu'une crevaison. Vous allez au garage et c'est vite réparé. C'est la même chose avec le système de santé. Il se peut que vous retourniez quelques fois consulter pour la même blessure, mais ce ne doit pas durer toujours. Cela vaut la peine d'en parler à vos amis et connaissances pour connaître leur propre expérience avec une blessure analogue et déterminer si le traitement que vous envisagez vous convient ou non.

## L'Acupuncteur[1]

Aïe, ça commence mal! Normalement, vous n'aurez pas à consulter un acupuncteur à moins que les thérapies plus conventionnelles n'aient donné aucun résultat. L'acupuncture fonctionne vraiment. Lorsqu'il est question de problèmes récurrents, cette approche vaut la peine d'être essayée. Ne jugez de rien avant de l'avoir expérimenté.

## Le Chiropraticien

Un bon chiropraticien peut éliminer la plupart des douleurs causées par des blessures sportives. Bien que leur champ d'action privilégié soit les douleurs au dos, ils ont une excellente connaissance du squelette et de ses interactions avec les muscles et les ligaments. Leur habilité à réduire ou éliminer la douleur à l'aide de manipulations est souvent surprenante. Les chiropraticiens ont tendance à se spécialiser, alors faites vos recherches pour en trouver un qui s'occupe plus particulièrement des blessures sportives. Votre médecin de famille pourra vous en recommander un lorsqu'il aura déterminé précisément la cause de vos problèmes.

## Le Diététiste

Un diététiste peut aider toute votre famille à marcher sur la voie d'un style de vie plus équilibré. Il peut aussi

---

[1] Le masculin est utilisé uniquement pour alléger le texte.

donner de judicieux conseils aux personnes âgées qui veulent réparer les affres causées par une vie entière de mauvaise alimentation. Entretenez de bonnes relations avec votre diététiste. Vous pouvez le consulter dès maintenant ou plus tard.


## L'Entraîneur Particulier

Comme tout professionnel, un entraîneur particulier devrait avoir de bonnes références. N'importe qui peut se donner ce titre. Plusieurs personnes considèrent qu'un entraîneur particulier peut leur donner la supervision dont ils ont besoin pour apporter à leur style de vie les changements nécessaires ou pour améliorer leurs performances. Ce sont de bonnes raisons pour envisager l'embauche d'un entraîneur particulier. Dans notre petite histoire, c'est France qui jouait ce rôle. Si ce genre de soutien vous intéresse, renseignez-vous auprès de votre YMCA ou de votre centre sportif pour connaître les personnes qualifiées disponibles.


## Le Massothérapeute

Tant pour votre propre plaisir que pour votre santé, vous devriez inclure des séances de massage régulières à votre routine. La massothérapie fait des merveilles aussi bien physiologiquement qu'émotionnellement. Elle est très efficace contre le stress. Plusieurs plans d'assurances de compagnies couvrent les frais de massothérapie si ces soins sont prescrits par un médecin. Si vous dites à votre médecin que vous avez besoin de séances de massothérapie pour maintenir votre style de vie actif, il est presque certain qu'il vous en prescrira! Un massothérapeute peut trouver des muscles tendus dont vous ne soupçonniez même pas l'existence. Cela peut vous aider lors de vos exercices d'étirements, puisque vous connaîtrez mieux votre corps et ses besoins.

## Le Médecin de Famille

Selon moi, votre médecin de famille devrait être votre porte d'entrée du système de santé. Si vous ne le consultez pas, vous risquez d'être mal soignés. Vous pouvez aussi bénéficier d'excellents examens de santé couverts par l'Assurance-Maladie, puisque les services des médecins de famille sont compris dans ce programme. La plupart des autres spécialistes travaillent dans le privé et, par conséquent, leurs services ne sont pas couverts par l'Assurance-Maladie. Ces tests détermineront si vous devez subir une chirurgie ou si l'on peut vous guérir seulement avec des médicaments.

Les médecins de famille sont tenus de sonder tous les aspects de vos symptômes en appliquant un processus connu sous le nom de diagnostique différentiel. Certains n'apprécient pas ce genre de diagnostique. C'est que cette approche tend à s'occuper plus des symptômes que du patient en tant qu'entité globale. C'est une des facettes de notre système de santé et, si vous prenez cela en considération, vous trouverez le moyen de tourner tout cela à votre avantage. Si vous croyez qu'il existe des aspects de votre problème que le médecin n'a pas examinés, dites-le-lui. Les médecins ne peuvent pas lire dans vos pensées. Expliquez-lui que vous faites de votre style de vie actif une priorité. Il voudra encourager ce type d'attitude et vous aidera à continuer dans cette voie. Il pourra probablement vous référer à un professionnel de la santé qui possède une bonne expertise en médecine sportive. Avant, il existait un grand esprit de protectionnisme au sein de la profession médicale. De nos jours, chacun respecte la contribution des autres domaines médicaux. Les médecins de famille reconnaissent qu'ils ne peuvent pas tout guérir et réfèrent assez facilement leurs patients à des spécialistes lorsqu'il le faut. Si ce n'est pas là votre expérience personnelle, songez à changer de médecin de famille ou à consulter d'autres professionnels de la santé de votre propre chef.

## Le Naturopathe

Un naturopathe prend le temps d'écouter vos problèmes et vous pose beaucoup de questions. Les naturopathes ont souvent sous la main des produits à base de plantes qu'ils vous vendront comme médicaments. Quelques naturopathes sont aussi des médecins et peuvent donc prescrire des médicaments conventionnels. Un bon naturopathe voudra examiner votre problème d'un point de vue holistique : plutôt que de simplement guérir les symptômes, il cherchera les racines du problème, comme le stress, le style de vie, l'alimentation, etc. Si vous croyez que cette approche peut vous faire du bien, essayez-la, mais prenez le temps de trouver le naturopathe avec qui vous vous sentirez bien en confiance.

## L'Orthopédiste Spécialisé

Habituellement, vous ne voyez ce genre de spécialistes qu'après vous y être fait référer par votre médecin de famille pour un problème bien défini. S'il conclut après vous avoir fait passer plusieurs tests que vous devriez subir une chirurgie, l'orthopédiste spécialisé deviendra alors une bonne option à considérer. Les chirurgies orthopédiques donnent généralement de bons résultats et les patients peuvent souvent reprendre leur entraînement quelques mois plus tard, ce qui est bien mieux que de rester indéfiniment inactif en attendant une hypothétique guérison. Comme la seule façon de profiter des services d'un orthopédiste spécialisé reste de vous faire référer par votre médecin de famille, si vous avez décidé de passer outre cette première étape pour aborder le système de santé, vous risquez de vous priver d'une excellente aide. Un bon professionnel de la santé devrait reconnaître l'inefficacité de son traitement si les problèmes persistent ou si les progrès accomplis par le traitement ne font plus que stagner. Si cette situation vous arrive, suggérez vous-mêmes à votre médecin de vous référer à un orthopédiste spécialisé.

## L'Ostéopathe

Ce sont des spécialistes très bien formés, difficiles à trouver et hautement qualifiés pour comprendre vos problèmes. Assurez-vous qu'ils ont obtenu leur qualification grâce à un programme reconnu. Ils travaillent habituellement main dans la main avec d'autres professionnels de la santé et le plus souvent dans des cliniques sportives ou des centres de réhabilitation. Les ostéopathes soignent par manipulation, un peu comme les chiropraticiens, mais ils ne sont pas spécialisés dans les problèmes de dos. Ils appliquent une technique appelée «relâchement musculaire» qui peut soulager presque instantanément la plupart des blessures sportives.

## Le Pharmacien

Attention : déformation professionnelle! J'ai travaillé pendant dix ans dans l'industrie pharmaceutique. Sérieusement, un pharmacien peut être d'une aide immense lorsqu'il s'agit de trouver le produit qui convient à votre problème. Les onguents analgésiques constituent les traitements de base pour soulager les douleurs musculaires. Pour les blessures légères des tissus, vous pouvez utiliser une crème à base d'arnica. En ce qui concerne les comprimés, vous devriez toujours discuter de vos symptômes avec votre pharmacien; vous pouvez aussi demander des comprimés d'ibuprofène. Habituellement, les pharmacies tiennent un bon inventaire de produits de soins domestiques, comme des paquets de glace, des sels d'Epsom (pour un bon bain relaxant), ainsi que des produits spécialisés pour soigner les ampoules, les cors, les ongles incarnés, le pied d'athlète, etc. Allez-y faire un tour et découvrez tout ce que les pharmacies ont à offrir!

## Le Physiothérapeute

Les physiothérapeutes sont sur la première ligne des professionnels de la santé qui peuvent vous aider durant le processus de guérison de vos blessures. Ils peuvent mener des traitements faisant appel aux ultrasons ou à la stimulation électrique. Ils ont aussi toutes les qualifications nécessaires pour vous apprendre les secrets de bons exercices d'étirements. Ils tiennent votre médecin de famille au courant de vos progrès, ce qui fait que le processus est supervisé du début à la fin.

## Le Podologue

C'est un spécialiste du pied qui peut vous rendre de grands services. Un problème au pied peut engendrer des douleurs aux jambes, aux hanches et bien d'autres troubles. Un podologue possède une formation complète en soins du pied. Il peut vous prescrire des semelles orthopédiques et vous donner de bons conseils concernant votre sport. Habituellement, c'est votre médecin de famille qui vous référera à un podologue.

## Le Thérapeute Sportif

Vous trouverez dans certaines cliniques sportives des thérapeutes sportifs qui ont une solide formation en matière d'exercices d'étirements. Ces professionnels jouent un rôle important dans le suivi général des patients.

## Les Moniteurs Cardiaques

Plusieurs compagnies fabriquent des moniteurs cardiaques. Ces appareils comportent toutes les fonctions requises, des plus simples aux plus avancées.

En voici un bref aperçu. Pour plus d'information, contactez votre détaillant spécialisé le plus proche.

### Niveau de Base

Ce type d'appareils vous indique votre rythme cardiaque pour un instant donné. Vous devez vous-mêmes veiller à rester dans la zone voulue. Pour l'entraînement visant principalement la perte de poids avec quelques exercices pour atteindre la zone aérobique, ce type d'appareil peut convenir si on le jumelle à une montre-chronomètre, afin de déterminer le temps passé dans la zone de perte de poids et dans la zone aérobique. Ce genre de modèle se vend à partir de 100$.

### Niveau 1

Ces modèles vous permettent de programmer à cinq battements de cœur près la zone dans laquelle vous voulez vous maintenir. Vous pouvez ainsi savoir si vous êtes au-dessous ou au-dessus de la limite, puisque, le cas échéant, l'appareil émet une sonnerie électronique. Cette fonction vous permet de mieux vous concentrer sur l'exercice accompli. Ces modèles se vendent à partir d'environ 170$.

**Niveau 2**

Si vous ne possédez pas de montre-chronomètre, les appareils de ce niveau-ci vous intéresseront : ils cumulent les fonctions du niveau 1, sont pourvus d'un chronomètre et d'un écran illuminé facile à lire dans le noir. Sur certains modèles, vous pouvez programmer vos zones de perte de poids et aérobiques à un battement de cœur près, ce qui vous donne un entraînement plus précis. Pour les athlètes sérieux, c'est un avantage certain. Ces modèles se vendent autour de 250$.

**Niveau 3**

Dans la crème de la crème, vous pouvez vous procurer un moniteur qui se branche sur votre ordinateur, vous permettant ainsi de suivre vos entraînements au jour le jour. Vous devrez payer plus de 1 000$ pour avoir accès à ce genre de fonction.

Le leader actuel dans ce domaine semble être Polar, la compagnie qui a commercialisé originellement cette technologie. Ses moniteurs cardiaques sont distribués ici par Polar Canada. Pour connaître le distributeur le plus près de chez vous, composez le 1-888-918-5043.

Savourez chaque jour
une variété d'aliments
choisis dans chacun
de ces groupes.

Choisissez de
préférence des
aliments
moins gras.

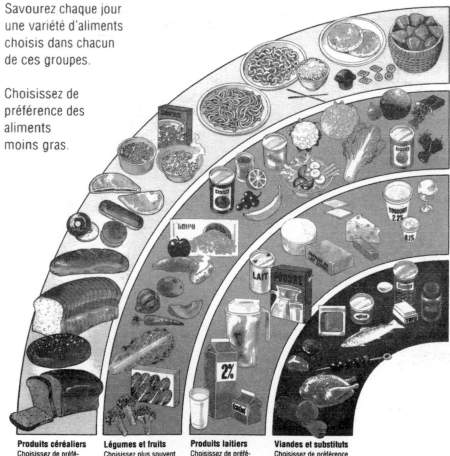

**Produits céréaliers**
Choisissez de préférence des produits à grains entiers ou enrichis.

**Légumes et fruits**
Choisissez plus souvent des légumes vert foncé ou orange et des fruits orange.

**Produits laitiers**
Choisissez de préférence des produits laitiers moins gras.

**Viandes et substituts**
Choisissez de préférence viandes, volailles et poissons plus maigres et légumineuses.

## Le guide alimentaire

**CANADIEN**

**POUR MANGER SAINEMENT**

*A L'INTENTION DES QUATRE ANS ET PLUS*

### Des quantités différentes pour des personnes différentes

La quantité que vous devez choisir chaque jour dans les quatre groupes alimentaires et parmi les autres aliments varie selon l'âge, la taille, le sexe, le niveau d'activité; elle augmente durant la grossesse et l'allaitement. Le guide alimentaire propose un nombre plus ou moins grand de portions pour chaque groupe d'aliments. Ainsi, les enfants peuvent choisir les quantités les plus petites et les adolescents, les plus grandes. La plupart des gens peuvent choisir entre les deux.

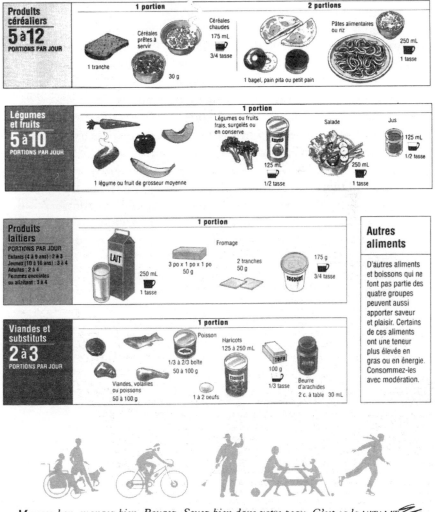

**Produits céréaliers**
**5 à 12**
PORTIONS PAR JOUR

1 portion — 1 tranche — Céréales prêtes à servir 30 g — Céréales chaudes 175 mL / 3/4 tasse

2 portions — 1 bagel, pain pita ou petit pain — Pâtes alimentaires ou riz 250 mL / 1 tasse

**Légumes et fruits**
**5 à 10**
PORTIONS PAR JOUR

1 portion — 1 légume ou fruit de grosseur moyenne — Légumes ou fruits frais, surgelés ou en conserve 125 mL / 1/2 tasse — Salade 250 mL / 1 tasse — Jus 125 mL / 1/2 tasse

**Produits laitiers**
PORTIONS PAR JOUR
Enfants (4 à 9 ans) : 2 à 3
Jeunes (10 à 16 ans) : 3 à 4
Adultes : 2 à 4
Femmes enceintes ou allaitant : 3 à 4

1 portion — LAIT 250 mL / 1 tasse — Fromage 3 po x 1 po x 1 po / 50 g — 2 tranches 50 g — 175 g / 3/4 tasse

**Viandes et substituts**
**2 à 3**
PORTIONS PAR JOUR

1 portion — Viandes, volailles ou poissons 50 à 100 g — Poisson 1/3 à 2/3 boîte / 50 à 100 g — 1 à 2 oeufs — Haricots 125 à 250 mL — TOFU 100 g — 1/3 tasse — Beurre d'arachides 2 c. à table 30 mL

### Autres aliments

D'autres aliments et boissons qui ne font pas partie des quatre groupes peuvent aussi apporter saveur et plaisir. Certains de ces aliments ont une teneur plus élevée en gras ou en énergie. Consommez-les avec modération.

*Mangez bon, mangez bien. Bougez. Soyez bien dans votre peau. C'est ça la VITALITÉ*

© Ministre des Approvisionnements et Services Canada 1992  N° de cat. H39-252/1992F  Toute modification est interdite. Peut être reproduit sans autorisation.
ISBN 0-662-97564-2

## Annexe 7

### Le Journal de Bord du Programme D'Exercices et de saine Alimentation S'Étendant sur 21 Jours

Les pages qui suivent vous aideront à tenir le journal de ces importants vingt et un premiers jours. Concentrez-vous sur ce que vous pouvez faire chaque jour pour mener un style de vie plus sain. Ne vous découragez pas si vous éprouvez des difficultés au commencement. Analysez vos bonnes et mauvaises journées afin d'en tirer des leçons. Peut-être devrez-vous prévoir vos collations santé. Peut-être devrez-vous porter plus d'attention à la rédaction de votre liste d'épicerie avant de faire votre marché. Peut-être voudrez-vous vous inscrire à une classe d'aérobie. Vous êtes sur la bonne voie : continuez!

Quand vous aurez rempli toutes ces feuilles, achetez-vous un journal de bord conçu spécifiquement pour noter votre alimentation et vos exercices. Vous en trouverez de bons dans les boutiques de sport spécialisées. Ils vous aideront à garder votre motivation, jour après jour, semaine après semaine.

**Quel est votre but aujourd'hui?** _____

1. Votre but est-il clairement identifié?
2. Êtes-vous capables de le réussir?
3. Y a-t-il un moyen de mesurer votre réussite?
4. Est-ce que cela vous aidera à améliorer votre forme physique ou vos habitudes alimentaires?
5. Pouvez-vous faire le suivi par écrit de vos réussites?

Jour 1 _____

| | ACTIVITÉS | REPAS ET COLLATIONS |
|---|---|---|
| 6h | | |
| 7h | | |
| 8h | | |
| 9h | | |
| 10h | | |
| 11h | | |
| Midi | | |
| 13h | | |
| 14h | | |
| 15h | | |
| 16h | | |
| 17h | | |
| 18h | | |
| 19h | | |
| 20h | | |
| 21h | | |
| 22h | | |
| 23h | | |

*Avez-vous atteint votre objectif aujourd'hui?*
Écrivez quelques commentaires sur les événements de la journée (bonne ou mauvaise journée, les raison...)

_____

_____

Combien avez-vous consommé de calories environ? _____
Selon quelles proportions se divisent ces calories consommées?
de glucides? _____ Protéines? _____ Matières grasses? _____

Combien de portions de fruits et légumes avez-vous mangées? _____

Notes : _____

_____

**158**

**Quel est votre but aujourd'hui?** _____
1. Votre but est-il clairement identifié?
2. Êtes-vous capables de le réussir?
3. Y a-t-il un moyen de mesurer votre réussite?
4. Est-ce que cela vous aidera à améliorer votre forme physique ou vos habitudes alimentaires?
5. Pouvez-vous faire le suivi par écrit de vos réussites?

Jour 2 _____

|        | ACTIVITÉS | REPAS ET COLLATIONS |
|--------|-----------|---------------------|
| 6h     |           |                     |
| 7h     |           |                     |
| 8h     |           |                     |
| 9h     |           |                     |
| 10h    |           |                     |
| 11h    |           |                     |
| Midi   |           |                     |
| 13h    |           |                     |
| 14h    |           |                     |
| 15h    |           |                     |
| 16h    |           |                     |
| 17h    |           |                     |
| 18h    |           |                     |
| 19h    |           |                     |
| 20h    |           |                     |
| 21h    |           |                     |
| 22h    |           |                     |
| 23h    |           |                     |

*Avez-vous atteint votre objectif aujourd'hui?*
Écrivez quelques commentaires sur les événements de la journée (bonne ou mauvaise journée, les raison...)

_____

_____

Combien avez-vous consommé de calories environ? _____
Selon quelles proportions se divisent ces calories consommées?
Glucides? _____ Protéines? _____ Matières grasses? _____

Combien de portions de fruits et légumes avez-vous mangées? _____

Notes : _____

_____

**Quel est votre but aujourd'hui?** _____
1. Votre but est-il clairement identifié?
2. Êtes-vous capables de le réussir?
3. Y a-t-il un moyen de mesurer votre réussite?
4. Est-ce que cela vous aidera à améliorer votre forme physique ou vos habitudes alimentaires?
5. Pouvez-vous faire le suivi par écrit de vos réussites?

Jour 3 _____

| | ACTIVITÉS | REPAS ET COLLATIONS |
|---|---|---|
| 6h | | |
| 7h | | |
| 8h | | |
| 9h | | |
| 10h | | |
| 11h | | |
| Midi | | |
| 13h | | |
| 14h | | |
| 15h | | |
| 16h | | |
| 17h | | |
| 18h | | |
| 19h | | |
| 20h | | |
| 21h | | |
| 22h | | |
| 23h | | |

*Avez-vous atteint votre objectif aujourd'hui?*
Écrivez quelques commentaires sur les événements de la journée (bonne ou mauvaise journée, les raison...)

_____

_____

Combien avez-vous consommé de calories environ? _____
Selon quelles proportions se divisent ces calories consommées?
Glucide? _____ Protéines? _____ Matières grasses? _____

Combien de portions de fruits et légumes avez-vous mangées? _____

Notes : _____

_____

**Quel est votre but aujourd'hui?** _____
   1.   Votre but est-il clairement identifié?
   2.   Êtes-vous capables de le réussir?
   3.   Y a-t-il un moyen de mesurer votre réussite?
   4.   Est-ce que cela vous aidera à améliorer votre forme physique ou vos
        habitudes alimentaires?
   5.   Pouvez-vous faire le suivi par écrit de vos réussites?

Jour 4 _____

|  | ACTIVITÉS | REPAS ET COLLATIONS |
|---|---|---|
| 6h | | |
| 7h | | |
| 8h | | |
| 9h | | |
| 10h | | |
| 11h | | |
| Midi | | |
| 13h | | |
| 14h | | |
| 15h | | |
| 16h | | |
| 17h | | |
| 18h | | |
| 19h | | |
| 20h | | |
| 21h | | |
| 22h | | |
| 23h | | |

*Avez-vous atteint votre objectif aujourd'hui?*
Écrivez quelques commentaires sur les événements de la journée (bonne ou
mauvaise journée, les raison...)

_____

_____

Combien avez-vous consommé de calories environ? _____
Selon quelles proportions se divisent ces calories consommées?
Glucide? _____ Protéines? _____ Matières grasses? _____

Combien de portions de fruits et légumes avez-vous mangées? _____

Notes : _____

**Quel est votre but aujourd'hui?** _____
1. Votre but est-il clairement identifié?
2. Êtes-vous capables de le réussir?
3. Y a-t-il un moyen de mesurer votre réussite?
4. Est-ce que cela vous aidera à améliorer votre forme physique ou vos habitudes alimentaires?
5. Pouvez-vous faire le suivi par écrit de vos réussites?

Jour 5 _____

| ACTIVITÉS | REPAS ET COLLATIONS |
|---|---|
| 6h | |
| 7h | |
| 8h | |
| 9h | |
| 10h | |
| 11h | |
| Midi | |
| 13h | |
| 14h | |
| 15h | |
| 16h | |
| 17h | |
| 18h | |
| 19h | |
| 20h | |
| 21h | |
| 22h | |
| 23h | |

*Avez-vous atteint votre objectif aujourd'hui?*
Écrivez quelques commentaires sur les événements de la journée (bonne ou mauvaise journée, les raison...)

_____

_____

Combien avez-vous consommé de calories environ? _____
Selon quelles proportions se divisent ces calories consommées?
Glucide? _____ Protéines? _____ Matières grasses? _____

Combien de portions de fruits et légumes avez-vous mangées? _____

Notes : _____

_____

**Quel est votre but aujourd'hui?** _____
1.   Votre but est-il clairement identifié?
2.   Êtes-vous capables de le réussir?
3.   Y a-t-il un moyen de mesurer votre réussite?
4.   Est-ce que cela vous aidera à améliorer votre forme physique ou vos habitudes alimentaires?
5.   Pouvez-vous faire le suivi par écrit de vos réussites?

Jour 6 _____

|  | ACTIVITÉS | REPAS ET COLLATIONS |
|---|---|---|
| 6h | | |
| 7h | | |
| 8h | | |
| 9h | | |
| 10h | | |
| 11h | | |
| Midi | | |
| 13h | | |
| 14h | | |
| 15h | | |
| 16h | | |
| 17h | | |
| 18h | | |
| 19h | | |
| 20h | | |
| 21h | | |
| 22h | | |
| 23h | | |

*Avez-vous atteint votre objectif aujourd'hui?*
Écrivez quelques commentaires sur les événements de la journée (bonne ou mauvaise journée, les raison...)

_____

_____

Combien avez-vous consommé de calories environ? _____
Selon quelles proportions se divisent ces calories consommées?
Glucide? _____ Protéines? _____ Matières grasses? _____

Combien de portions de fruits et légumes avez-vous mangées? _____

Notes : _____

_____

**Quel est votre but aujourd'hui?** _____
1. Votre but est-il clairement identifié?
2. Êtes-vous capables de le réussir?
3. Y a-t-il un moyen de mesurer votre réussite?
4. Est-ce que cela vous aidera à améliorer votre forme physique ou vos habitudes alimentaires?
5. Pouvez-vous faire le suivi par écrit de vos réussites?

Jour 7 _____

| | ACTIVITÉS | REPAS ET COLLATIONS |
|---|---|---|
| 6h | | |
| 7h | | |
| 8h | | |
| 9h | | |
| 10h | | |
| 11h | | |
| Midi | | |
| 13h | | |
| 14h | | |
| 15h | | |
| 16h | | |
| 17h | | |
| 18h | | |
| 19h | | |
| 20h | | |
| 21h | | |
| 22h | | |
| 23h | | |

*Avez-vous atteint votre objectif aujourd'hui?*
Écrivez quelques commentaires sur les événements de la journée (bonne ou mauvaise journée, les raison...)

_____
_____

Combien avez-vous consommé de calories environ? _____
Selon quelles proportions se divisent ces calories consommées?
Glucide? _____ Protéines? _____ Matières grasses? _____

Combien de portions de fruits et légumes avez-vous mangées? _____

Notes : _____
_____

**164**

## Quel est votre but aujourd'hui? _____
1. Votre but est-il clairement identifié?
2. Êtes-vous capables de le réussir?
3. Y a-t-il un moyen de mesurer votre réussite?
4. Est-ce que cela vous aidera à améliorer votre forme physique ou vos habitudes alimentaires?
5. Pouvez-vous faire le suivi par écrit de vos réussites?

Jour 8 _____

| ACTIVITÉS | REPAS ET COLLATIONS |
|---|---|
| 6h | |
| 7h | |
| 8h | |
| 9h | |
| 10h | |
| 11h | |
| Midi | |
| 13h | |
| 14h | |
| 15h | |
| 16h | |
| 17h | |
| 18h | |
| 19h | |
| 20h | |
| 21h | |
| 22h | |
| 23h | |

**Avez-vous atteint votre objectif aujourd'hui?**
Écrivez quelques commentaires sur les événements de la journée (bonne ou mauvaise journée, les raison...)

_____

_____

Combien avez-vous consommé de calories environ? _____

Selon quelles proportions se divisent ces calories consommées?

Glucide? _____ Protéines? _____ Matières grasses? _____

Combien de portions de fruits et légumes avez-vous mangées? _____

Notes : _____

_____

**Quel est votre but aujourd'hui?** _____

1. Votre but est-il clairement identifié?
2. Êtes-vous capables de le réussir?
3. Y a-t-il un moyen de mesurer votre réussite?
4. Est-ce que cela vous aidera à améliorer votre forme physique ou vos habitudes alimentaires?
5. Pouvez-vous faire le suivi par écrit de vos réussites?

Jour 9 _____

| | ACTIVITÉS | REPAS ET COLLATIONS |
|---|---|---|
| 6h | | |
| 7h | | |
| 8h | | |
| 9h | | |
| 10h | | |
| 11h | | |
| Midi | | |
| 13h | | |
| 14h | | |
| 15h | | |
| 16h | | |
| 17h | | |
| 18h | | |
| 19h | | |
| 20h | | |
| 21h | | |
| 22h | | |
| 23h | | |

*Avez-vous atteint votre objectif aujourd'hui?*
Écrivez quelques commentaires sur les événements de la journée (bonne ou mauvaise journée, les raison...)

_____

_____

Combien avez-vous consommé de calories environ? _____
Selon quelles proportions se divisent ces calories consommées?
Glucide? _____ Protéines? _____ Matières grasses? _____

Combien de portions de fruits et légumes avez-vous mangées? _____

Notes : _____

_____

**Quel est votre but aujourd'hui?** _____
1. Votre but est-il clairement identifié?
2. Êtes-vous capables de le réussir?
3. Y a-t-il un moyen de mesurer votre réussite?
4. Est-ce que cela vous aidera à améliorer votre forme physique ou vos habitudes alimentaires?
5. Pouvez-vous faire le suivi par écrit de vos réussites?

Jour 10 _____

|  | ACTIVITÉS | REPAS ET COLLATIONS |
|---|---|---|
| 6h | | |
| 7h | | |
| 8h | | |
| 9h | | |
| 10h | | |
| 11h | | |
| Midi | | |
| 13h | | |
| 14h | | |
| 15h | | |
| 16h | | |
| 17h | | |
| 18h | | |
| 19h | | |
| 20h | | |
| 21h | | |
| 22h | | |
| 23h | | |

*Avez-vous atteint votre objectif aujourd'hui?*
Écrivez quelques commentaires sur les événements de la journée (bonne ou mauvaise journée, les raison...)

_____

_____

Combien avez-vous consommé de calories environ? _____
Selon quelles proportions se divisent ces calories consommées?
Glucide? _____ Protéines? _____ Matières grasses? _____

Combien de portions de fruits et légumes avez-vous mangées? _____

Notes : _____

_____

**Quel est votre but aujourd'hui?** _____

1. Votre but est-il clairement identifié?
2. Êtes-vous capables de le réussir?
3. Y a-t-il un moyen de mesurer votre réussite?
4. Est-ce que cela vous aidera à améliorer votre forme physique ou vos habitudes alimentaires?
5. Pouvez-vous faire le suivi par écrit de vos réussites?

Jour 11 _____

|  | ACTIVITÉS | REPAS ET COLLATIONS |
|---|---|---|
| 6h | | |
| 7h | | |
| 8h | | |
| 9h | | |
| 10h | | |
| 11h | | |
| Midi | | |
| 13h | | |
| 14h | | |
| 15h | | |
| 16h | | |
| 17h | | |
| 18h | | |
| 19h | | |
| 20h | | |
| 21h | | |
| 22h | | |
| 23h | | |

*Avez-vous atteint votre objectif aujourd'hui?*
Écrivez quelques commentaires sur les événements de la journée (bonne ou mauvaise journée, les raison...)

_____

_____

Combien avez-vous consommé de calories environ? _____
Selon quelles proportions se divisent ces calories consommées?
Glucide? _____ Protéines? _____ Matières grasses? _____

Combien de portions de fruits et légumes avez-vous mangées? _____

Notes : _____

_____

**Quel est votre but aujourd'hui?** _____

1. Votre but est-il clairement identifié?
2. Êtes-vous capables de le réussir?
3. Y a-t-il un moyen de mesurer votre réussite?
4. Est-ce que cela vous aidera à améliorer votre forme physique ou vos habitudes alimentaires?
5. Pouvez-vous faire le suivi par écrit de vos réussites?

Jour 12 _____

| | ACTIVITÉS | REPAS ET COLLATIONS |
|---|---|---|
| 6h | | |
| 7h | | |
| 8h | | |
| 9h | | |
| 10h | | |
| 11h | | |
| Midi | | |
| 13h | | |
| 14h | | |
| 15h | | |
| 16h | | |
| 17h | | |
| 18h | | |
| 19h | | |
| 20h | | |
| 21h | | |
| 22h | | |
| 23h | | |

*Avez-vous atteint votre objectif aujourd'hui?*
Écrivez quelques commentaires sur les événements de la journée (bonne ou mauvaise journée, les raison...)

_____

_____

Combien avez-vous consommé de calories environ? _____
Selon quelles proportions se divisent ces calories consommées?
Glucide? _____ Protéines? _____ Matières grasses? _____

Combien de portions de fruits et légumes avez-vous mangées? _____

Notes : _____

_____

**Quel est votre but aujourd'hui?** _____
1. Votre but est-il clairement identifié?
2. Êtes-vous capables de le réussir?
3. Y a-t-il un moyen de mesurer votre réussite?
4. Est-ce que cela vous aidera à améliorer votre forme physique ou vos habitudes alimentaires?
5. Pouvez-vous faire le suivi par écrit de vos réussites?

Jour 13 _____

| | ACTIVITÉS | REPAS ET COLLATIONS |
|---|---|---|
| 6h | | |
| 7h | | |
| 8h | | |
| 9h | | |
| 10h | | |
| 11h | | |
| Midi | | |
| 13h | | |
| 14h | | |
| 15h | | |
| 16h | | |
| 17h | | |
| 18h | | |
| 19h | | |
| 20h | | |
| 21h | | |
| 22h | | |
| 23h | | |

***Avez-vous atteint votre objectif aujourd'hui?***
Écrivez quelques commentaires sur les événements de la journée (bonne ou mauvaise journée, les raison...)

_____

_____

Combien avez-vous consommé de calories environ? _____
Selon quelles proportions se divisent ces calories consommées?
Glucide? _____ Protéines? _____ Matières grasses? _____

Combien de portions de fruits et légumes avez-vous mangées? _____

Notes : _____

_____

**Quel est votre but aujourd'hui?** _____
   1.   Votre but est-il clairement identifié?
   2.   Êtes-vous capables de le réussir?
   3.   Y a-t-il un moyen de mesurer votre réussite?
   4.   Est-ce que cela vous aidera à améliorer votre forme physique ou vos habitudes alimentaires?
   5.   Pouvez-vous faire le suivi par écrit de vos réussites?

Jour 14 _____

| | ACTIVITÉS | REPAS ET COLLATIONS |
|---|---|---|
| 6h | | |
| 7h | | |
| 8h | | |
| 9h | | |
| 10h | | |
| 11h | | |
| Midi | | |
| 13h | | |
| 14h | | |
| 15h | | |
| 16h | | |
| 17h | | |
| 18h | | |
| 19h | | |
| 20h | | |
| 21h | | |
| 22h | | |
| 23h | | |

*Avez-vous atteint votre objectif aujourd'hui?*
Écrivez quelques commentaires sur les événements de la journée (bonne ou mauvaise journée, les raison...)

_____

_____

Combien avez-vous consommé de calories environ? _____
Selon quelles proportions se divisent ces calories consommées?
Glucide? _____ Protéines? _____ Matières grasses? _____

Combien de portions de fruits et légumes avez-vous mangées? _____

Notes : _____

_____

**Quel est votre but aujourd'hui?** _____
1. Votre but est-il clairement identifié?
2. Êtes-vous capables de le réussir?
3. Y a-t-il un moyen de mesurer votre réussite?
4. Est-ce que cela vous aidera à améliorer votre forme physique ou vos habitudes alimentaires?
5. Pouvez-vous faire le suivi par écrit de vos réussites?

Jour 15 _____

| | ACTIVITÉS | REPAS ET COLLATIONS |
|---|---|---|
| 6h | | |
| 7h | | |
| 8h | | |
| 9h | | |
| 10h | | |
| 11h | | |
| Midi | | |
| 13h | | |
| 14h | | |
| 15h | | |
| 16h | | |
| 17h | | |
| 18h | | |
| 19h | | |
| 20h | | |
| 21h | | |
| 22h | | |
| 23h | | |

*Avez-vous atteint votre objectif aujourd'hui?*
Écrivez quelques commentaires sur les événements de la journée (bonne ou mauvaise journée, les raison...)

_____

_____

Combien avez-vous consommé de calories environ? _____
Selon quelles proportions se divisent ces calories consommées?
Glucide? _____ Protéines? _____ Matières grasses? _____

Combien de portions de fruits et légumes avez-vous mangées? _____

Notes : _____

**Quel est votre but aujourd'hui?** _____
1. Votre but est-il clairement identifié?
2. Êtes-vous capables de le réussir?
3. Y a-t-il un moyen de mesurer votre réussite?
4. Est-ce que cela vous aidera à améliorer votre forme physique ou vos habitudes alimentaires?
5. Pouvez-vous faire le suivi par écrit de vos réussites?

Jour 16 _____

|  | ACTIVITÉS | REPAS ET COLLATIONS |
|---|---|---|
| 6h | | |
| 7h | | |
| 8h | | |
| 9h | | |
| 10h | | |
| 11h | | |
| Midi | | |
| 13h | | |
| 14h | | |
| 15h | | |
| 16h | | |
| 17h | | |
| 18h | | |
| 19h | | |
| 20h | | |
| 21h | | |
| 22h | | |
| 23h | | |

*Avez-vous atteint votre objectif aujourd'hui?*
Écrivez quelques commentaires sur les événements de la journée (bonne ou mauvaise journée, les raison...)

_____

_____

Combien avez-vous consommé de calories environ? _____
Selon quelles proportions se divisent ces calories consommées?
Glucide? _____ Protéines? _____ Matières grasses? _____

Combien de portions de fruits et légumes avez-vous mangées? _____

Notes : _____

_____

**Quel est votre but aujourd'hui?** _____
1.  Votre but est-il clairement identifié?
2.  Êtes-vous capables de le réussir?
3.  Y a-t-il un moyen de mesurer votre réussite?
4.  Est-ce que cela vous aidera à améliorer votre forme physique ou vos habitudes alimentaires?
5.  Pouvez-vous faire le suivi par écrit de vos réussites?

Jour 17 _____

| | ACTIVITÉS | REPAS ET COLLATIONS |
|---|---|---|
| 6h | | |
| 7h | | |
| 8h | | |
| 9h | | |
| 10h | | |
| 11h | | |
| Midi | | |
| 13h | | |
| 14h | | |
| 15h | | |
| 16h | | |
| 17h | | |
| 18h | | |
| 19h | | |
| 20h | | |
| 21h | | |
| 22h | | |
| 23h | | |

*Avez-vous atteint votre objectif aujourd'hui?*
Écrivez quelques commentaires sur les événements de la journée (bonne ou mauvaise journée, les raison...)

_____

_____

Combien avez-vous consommé de calories environ? _____
Selon quelles proportions se divisent ces calories consommées?
Glucide? _____ Protéines? _____ Matières grasses? _____

Combien de portions de fruits et légumes avez-vous mangées? _____

Notes : _____

_____

**Quel est votre but aujourd'hui?** _____
1. Votre but est-il clairement identifié?
2. Êtes-vous capables de le réussir?
3. Y a-t-il un moyen de mesurer votre réussite?
4. Est-ce que cela vous aidera à améliorer votre forme physique ou vos habitudes alimentaires?
5. Pouvez-vous faire le suivi par écrit de vos réussites?

Jour 18 _____

|  | ACTIVITÉS | REPAS ET COLLATIONS |
|---|---|---|
| 6h | | |
| 7h | | |
| 8h | | |
| 9h | | |
| 10h | | |
| 11h | | |
| Midi | | |
| 13h | | |
| 14h | | |
| 15h | | |
| 16h | | |
| 17h | | |
| 18h | | |
| 19h | | |
| 20h | | |
| 21h | | |
| 22h | | |
| 23h | | |

*Avez-vous atteint votre objectif aujourd'hui?*
Écrivez quelques commentaires sur les événements de la journée (bonne ou mauvaise journée, les raison...)

_____

_____

Combien avez-vous consommé de calories environ? _____
Selon quelles proportions se divisent ces calories consommées?
Glucide? _____ Protéines? _____ Matières grasses? _____

Combien de portions de fruits et légumes avez-vous mangées? _____

Notes : _____

_____

**Quel est votre but aujourd'hui?** _____

1. Votre but est-il clairement identifié?
2. Êtes-vous capables de le réussir?
3. Y a-t-il un moyen de mesurer votre réussite?
4. Est-ce que cela vous aidera à améliorer votre forme physique ou vos habitudes alimentaires?
5. Pouvez-vous faire le suivi par écrit de vos réussites?

Jour 19 _____

| | ACTIVITÉS | REPAS ET COLLATIONS |
|---|---|---|
| 6h | | |
| 7h | | |
| 8h | | |
| 9h | | |
| 10h | | |
| 11h | | |
| Midi | | |
| 13h | | |
| 14h | | |
| 15h | | |
| 16h | | |
| 17h | | |
| 18h | | |
| 19h | | |
| 20h | | |
| 21h | | |
| 22h | | |
| 23h | | |

*Avez-vous atteint votre objectif aujourd'hui?*
Écrivez quelques commentaires sur les événements de la journée (bonne ou mauvaise journée, les raison...)

_____
_____

Combien avez-vous consommé de calories environ? _____
Selon quelles proportions se divisent ces calories consommées?
Glucide? _____ Protéines? _____ Matières grasses? _____

Combien de portions de fruits et légumes avez-vous mangées? _____

Notes : _____
_____

**Quel est votre but aujourd'hui?** _____

1. Votre but est-il clairement identifié?
2. Êtes-vous capables de le réussir?
3. Y a-t-il un moyen de mesurer votre réussite?
4. Est-ce que cela vous aidera à améliorer votre forme physique ou vos habitudes alimentaires?
5. Pouvez-vous faire le suivi par écrit de vos réussites?

Jour 20 _____

| | ACTIVITÉS | REPAS ET COLLATIONS |
|---|---|---|
| 6h | | |
| 7h | | |
| 8h | | |
| 9h | | |
| 10h | | |
| 11h | | |
| Midi | | |
| 13h | | |
| 14h | | |
| 15h | | |
| 16h | | |
| 17h | | |
| 18h | | |
| 19h | | |
| 20h | | |
| 21h | | |
| 22h | | |
| 23h | | |

*Avez-vous atteint votre objectif aujourd'hui?*
Écrivez quelques commentaires sur les événements de la journée (bonne ou mauvaise journée, les raison...)

_____

_____

Combien avez-vous consommé de calories environ? _____
Selon quelles proportions se divisent ces calories consommées?
Glucide? _____ Protéines? _____ Matières grasses? _____

Combien de portions de fruits et légumes avez-vous mangées? _____

Notes : _____

_____

**Quel est votre but aujourd'hui?** _____
1.  Votre but est-il clairement identifié?
2.  Êtes-vous capables de le réussir?
3.  Y a-t-il un moyen de mesurer votre réussite?
4.  Est-ce que cela vous aidera à améliorer votre forme physique ou vos habitudes alimentaires?
5.  Pouvez-vous faire le suivi par écrit de vos réussites?

Jour 21 _____

|  | ACTIVITÉS | REPAS ET COLLATIONS |
|---|---|---|
| 6h | | |
| 7h | | |
| 8h | | |
| 9h | | |
| 10h | | |
| 11h | | |
| Midi | | |
| 13h | | |
| 14h | | |
| 15h | | |
| 16h | | |
| 17h | | |
| 18h | | |
| 19h | | |
| 20h | | |
| 21h | | |
| 22h | | |
| 23h | | |

*Avez-vous atteint votre objectif aujourd'hui?*
Écrivez quelques commentaires sur les événements de la journée (bonne ou mauvaise journée, les raison...)

_____

_____

Combien avez-vous consommé de calories environ? _____
Selon quelles proportions se divisent ces calories consommées?
Glucide? _____ Protéines? _____ Matières grasses? _____

Combien de portions de fruits et légumes avez-vous mangées? _____

Notes : _____

_____

# Avez-vous trouvé ce livre intéressant?

Nous aimerions connaître vos commentaires.

Vous pouvez nous les envoyer en utilisant les moyens suivants :

Par la poste
CP2BP
a/s de JLD & Associates
Boîte postale 74032
260, Guelph
Georgetown, Ontario
Canada L7G 5L1

Par téléphone      (905) 702-8301
Par télécopieur      (905) 702-8302
Par courriel      jld@the-wire.com

Site Internet      www.the-wire.com/cp2bp

Vous pouvez commander des exemplaires supplémentaires de ce livre auprès de l'éditeur au prix de 20$ chacun, taxes, frais de poste et de manutention inclus. Des rabais peuvent être accordés pour les commandes volumineuses. Communiquez avec nous directement pour connaître les prix. Les chèques doivent être émis à l'ordre de JLD & Associates.

Les organismes qui sont intéressés par les conférences de Jon Dald peuvent communiquer avec JLD & Associates.

Les séminaires CP2BP sont offerts aux entreprises qui veulent donner ce genre de service à leurs employés. Contactez JLD & Associates pour plus de détails.